JARDIN DES HERBES AROMATIQUES

BUREAU DU RECTEUR

TOUR DU NORD

RÉFECTOIRE

AMPHITHÉÂTRE

RAXFORD

ESCALIER DES CARTES E GÉOGRAPHIE

Bienvenue
dans le monde des

Téa Sisters

Ce livre
appartient à:

Salut, c'est Téa !

Oui, Téa Stilton, la sœur de *Geronimo Stilton* ! Je suis envoyée spéciale de *l'Écho du rongeur*, le journal le plus célèbre de l'île des Souris. J'adore les voyages et l'aventure, et j'aime rencontrer des gens du monde entier !

C'est à Raxford, le collège dont je suis diplômée et où l'on m'a invitée à donner des cours, que j'ai rencontré cinq filles très spéciales : Colette, Nicky, Paméla, Paulina et Violet. Dès le premier instant, elles se sont liées d'une véritable amitié. Et elles ont tant d'affection pour moi qu'elles ont décidé de baptiser leur groupe de mon nom : Téa Sisters (en anglais, cela signifie les « Sœurs Téa ») ! Ce fut une grande émotion pour moi. Et c'est pour ça que j'ai décidé de raconter leurs aventures. Les assourissantes aventures des…

Prénom : Nicky

Surnom : Nic

Origine : Océanie (Australie)

Rêve : s'occuper d'écologie !

Passions : les grands espaces et la nature !

Qualités : elle est toujours de bonne humeur…
Il suffit qu'elle soit en plein air !

Défauts : elle ne tient pas en place !

Secret : elle est claustrophobe,
elle ne supporte pas d'être
dans un espace clos !

Nicky

Nicky

Prénom : Colette

Colette

Surnom : Coco

Origine : Europe (France)

Rêve : elle fait très attention à son look. D'ailleurs, son grand rêve, c'est de devenir journaliste de mode !

Passions : elle a une vraie passion pour la couleur rose !

Qualités : elle est très entreprenante et aime aider les autres !

Défauts : elle est toujours en retard !

Secret : pour se détendre, il lui suffit de se faire un shampoing et un brushing, ou bien d'aller passer un moment chez la manucure !

Colette

Violet

Prénom : Violet
Surnom : Vivi
Origine : Asie (Chine)

Violet

Rêve : devenir une grande violoniste !

Passions : étudier. C'est une véritable intellectuelle !

Qualités : elle est très précise et aime toujours découvrir de nouvelles choses.

Défauts : elle est un peu susceptible et ne supporte pas qu'on se moque d'elle. Quand elle n'a pas assez dormi, elle n'arrive plus à se concentrer !

Secret : pour se détendre, elle écoute de la musique classique et boit du thé vert parfumé aux fruits.

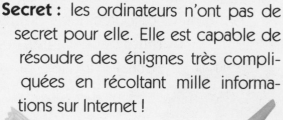

Prénom : Paulina
Surnom : Pilla
Origine : Amérique du Sud (Pérou)
Rêve : devenir scientifique !
Passions : elle aime voyager et rencontrer des gens de tous les pays. Elle adore sa petite sœur Maria.
Qualités : elle est très altruiste !
Défauts : elle est un peu timide… et un peu brouillonne.
Secret : les ordinateurs n'ont pas de secret pour elle. Elle est capable de résoudre des énigmes très compliquées en récoltant mille informations sur Internet !

PAULINA

Prénom : Paméla

Surnom : Pam

Origine : Afrique (Tanzanie)

Rêve : devenir journaliste sportive ou mécanicienne automobile !

Passions : la pizza, la pizza et encore la pizza ! Elle en mangerait même au petit déjeuner !

Qualités : elle a beau avoir des manières un peu brusques, elle est la pacifiste du groupe ! Elle ne supporte ni les disputes ni les discussions.

Défauts : elle est très impulsive !

Secret : donnez-lui un tournevis et une clef anglaise, et elle résoudra tous vos problèmes de mécanique !

VEUX-TU ÊTRE UNE TÉA SISTER ?

ÉCRIS ICI TON PRÉNOM !

Prénom : _ _ _ _ _ _ _ _ _

Surnom : _ _ _ _ _ _ _ _ _

Origine : _ _ _ _ _ _ _ _ _ _ _ _ _ _ _ _ _ _ _

Rêve : _ _ _ _ _ _ _ _ _ _ _ _ _ _
_ _
_ _

Passions : _ _ _ _ _ _ _ _ _ _ _ _ _ _ _ _ _

Qualités : _ _ _ _ _ _ _ _ _ _ _ _ _ _ _ _ _
_ _

Défauts : _ _ _ _ _ _ _ _ _ _ _ _ _ _ _ _ _

Secret : _ _ _ _ _ _ _ _ _ _ _ _ _ _ _ _ _
_ _

COLLE ICI
TA PHOTO !

Texte de Téa Stilton.
*Basé sur une idée originale d'*Elisabetta Dami.
Coordination des textes de Sarah Rossi *(Atlantyca S.p.A.).*
Coordination éditoriale de Patrizia Puricelli *et* Maria Ballarotti.
Coordination artistique de Flavio Ferron.
Édition de Katja Centomo *et* Francesco Artibani *(Red Whale).*
Coordination éditoriale de Flavia Barelli *et* Erika Centomo. *Supervision de* Mariantonia Cambareri.
Supervision des textes de Flavia Barelli *et* Erika Centomo.
Sujet de Flavia Barelli.
Graphisme de référence de Manuela Razzi.
Illustrations de Sabrina Ariganello, Michela Frare, Daniela Geremia, Cristina Giorgilli, Sonia Matrone, Gaetano Petrigno, Roberta Pierpaoli, Arianna Rea *et* Roberta Tedeschi.
Couleurs de Cinzia Antonielli, Alessandra Bracaglia, Edwyn Nori *et* Elena Sanjust.
Couverture de Arianna Rea *(crayonnés),* Yoko Ippolitoni *(encrage) et* Ketty Formaggio *(couleurs).*
Graphisme de Paola Cantoni. *Avec la collaboration de* Marta Lorini.
Traduction de Titi Plumederat.

Nos remerciements au théâtre de la Scala.

www.geronimostilton.com

Pour l'édition originale :
© 2011, Edizioni Piemme S.p.A. – Corso Como, 15 – 20154 Milan – Italie
sous le titre *Mistero dietro le quinte.*
International rights © Atlantyca S.p.A. – Via Leopardi, 8 – 20123 Milan, Italie
www.atlantyca.com – contact : foreignrights@atlantyca.it
Pour l'édition française :
© 2012, Albin Michel Jeunesse – 22, rue Huyghens, 75014 Paris
www.albin-michel.fr
Loi n° 49-956 du 16 juillet 1949 sur les publications destinées à la jeunesse
Dépôt légal : second semestre 2012
Numéro d'édition : 20177
Isbn-13 : 978 2 226 24244 0
Imprimé en France en octobre 2012 par Pollina - L62193

Stilton est le nom d'un célèbre fromage anglais. C'est une marque déposée de Stilton Cheese Makers' Association. Pour plus d'informations, vous pouvez consulter le site www.stiltoncheese.com

MENACE
EN COULISSES

 ALBIN MICHEL JEUNESSE

Salut les amis !

VOUS AUSSI, VOUS VOULEZ AIDER LES TÉA SISTERS À DÉCOUVRIR CE QUI SE TRAME À LA SCALA ? CE N'EST PAS DIFFICILE. IL SUFFIT DE SUIVRE MES INDICATIONS ! QUAND VOUS VERREZ CETTE LOUPE, FAITES BIEN ATTENTION : C'EST LE SIGNAL QU'UN INDICE IMPORTANT EST CACHÉ DANS LA PAGE.

DE TEMPS EN TEMPS, NOUS FERONS LE POINT, DE MANIÈRE À NE RIEN OUBLIER.

ALORS, VOUS ÊTES PRÊTS ? LE MYSTÈRE VOUS ATTEND !

Un rendez-vous très spécial

C'était une fraîche soirée de printemps à Sourisia et la salle du CLUB DES LECTRICES se vidait lentement.

La présentation de mon dernier livre venait de se terminer : un énorme SUCCÈS ! J'adore rencontrer mes lectrices en chair et en os et établir avec elle un rapport spécial.

Parfois, j'ai l'impression de les connaître toutes, comme si nous étions de VIEILLES amies !

Je suis Téa Stilton, envoyée spéciale de *l'Écho du rongeur*, mais, entre deux aventures, ce que j'aime♥ par-dessus tout, c'est... écrire !

–C'est un livre au poil, félicitations! me dit Gilda, la présidente du club.

–Et si, pour fêter ça, me proposa-t-elle, nous allions toutes dîner dans ce nouveau petit restaurant de fromages EXOTIQUES!

C'était très tentant, mais je fus obligée de refuser :

–Merci beaucoup, mais ce soir j'ai un rendez-vous très **iMP⊙Rtant** : les Téa Sisters en mondovision !

La chaîne satellitaire thématique consacrée à la danse devait en effet diffuser une émission spéciale

en direct de la SCALA de Milan, l'un des plus célèbres théâtres du monde...

Et, sur scène, il y aurait les Téa Sisters !

Le matin même, j'avais reçu un message de Paulina qui me précisait l'horaire de l'émission : pour rien au monde je n'aurais raté ce spectacle !

Mais pour vous raconter comment a commencé cette nouvelle et fantasouristique **AVENTURE**, je dois retourner en arrière de quelques mois, au collège de Raxford, sur l'*île des Baleines*...

LES TÉA SISTERS AU RAPPORT !

Les joyeuses notes d'un piano et les encouragements du professeur, Mme Plié, résonnaient entre les murs et les miroirs de la salle de *danse* du collège de Raxford.

– Bravo, Violet ! Plus haut la jambe, oui, comme ça !

C'était la partie la plus amusante du cours, le programme libre, et Violet émerveillait tout le monde par sa grâce.

– Violet a l'air d'une libellule ! murmura Colette, admirative en **OBSERVANT** son amie tournoyer avec légèreté.

– Le cours de danse classique est vraiment fait pour elle. Moi, j'ai plutôt la grâce d'un **AUTOBUS**, reconnut Pam dans un éclat de rire.

Nicky lui donna une petite tape *affectueuse*.

–Pour le hip-hop, personne ne t'arrive à la cheville!

C'est à cet instant précis que la sonnette marqua la fin du cours.

DDDDRRRIIIIINNNG!

Les élèves regagnèrent les vestiaires à contre-cœur : les cours de danse suscitaient un grand enthousiasme et ils passaient toujours trop vite.

–Vous faites une de ces têtes! se moqua un peu Mme Plié. Pourtant, il y a d'autres cours qui vous attendent!

Puis elle s'arrêta près du groupe des Téa Sisters et, baissant la voix, poursuivit :

–Quant à vous, les filles, vous devrez d'abord faire un crochet par le bureau de Mme Ratinsky…

Les filles ÉCHANGÈRENT un regard surpris : la sévère directrice du cours de disciplines artistiques n'avait jamais convoqué personne! En moins de temps qu'il n'en faut pour le dire, elles se retrouvèrent devant la porte de son bureau.

–Qu'en dites-vous, les filles ? C'est à cause des répétitions avec le professeur Show ? demanda Pam d'un ton hésitant. Je me suis **TROMPÉE** plusieurs fois de réplique !

–Sûrement pas ! s'exclama Paulina. J'espère simplement que ce n'est pas à cause de mon mémoire de fin de semestre sur la musique CELTIQUE : deux cents pages, ce n'était peut-être pas assez...

–Ça pourrait concerner chacune d'entre nous… observa Violet d'un air perplexe. Mais pourquoi nous convoquer toutes ensemble ?

Nicky COUPA court, d'un ton résolu :

–Il n'y a qu'un moyen de le savoir : frapper à cette porte !

Les cinq amies s'armèrent de courage et entrèrent dans le bureau. Elles étaient toutes un peu émues et, surtout, elles ne savaient vraiment pas ce qui les attendait !

LA DANSE EN ÉMOI

Dès qu'elle les vit, Mme Ratinsky leva les yeux de l'écran de son ordinateur et SOURIT.

– Vous voici enfin ! Je vous ai fait appeler parce que j'ai besoin de votre aide.

Les Téa Sisters échangèrent un regard stupéfait : c'était donc pour cela qu'elle les avait convoquées !

L'enseignante se leva et se mit à arpenter nerveusement la pièce. Après quelques minutes de silence, elle reprit :

– J'imagine que vous savez que le monde de la danse est très DUR. Il est difficile de se faire une place au soleil, mais, à force de sacrifices et avec beaucoup de passion, il est possible de devenir danseur professionnel.

Les filles **ACQUIESCÈRENT** d'un même mouvement, très attentives.

–Dans ce monde, les passe-droits et les **MANŒUVRES** n'ont jamais servi à rien! En tout cas jusqu'à aujourd'hui... fit la directrice d'un ton amer.

Elle secoua la tête et poursuivit :

–Je crains que quelqu'un ne soit en train d'essayer de **truquer** le plus prestigieux concours international de danse.

Colette laissa échapper une exclamation **SCANDA-LISÉE** :

–Des magouilles dans le monde de la danse?! Impossible!

Mme Ratinsky **ESQUISSA** un sourire.

–J'étais sûre que vous réagiriez de la même manière que moi. C'est pour cela que je vous ai convoquées.

Puis elle s'approcha de l'écran **GÉANT** qui occupait tout un mur du bureau et conclut :

–Je vais laisser à une vieille amie et collègue le

soin de tout vous expliquer : Natalya Rattlova.

Violet n'en croyait pas ses oreilles.

– Vous voulez dire la célèbre Natalya Rattlova ?!

La directrice acquiesça d'un air solennel et se mit à tapoter les boutons d'une TÉLÉ-COMMANDE.

Entre-temps, Violet remarqua le REGARD intrigué de ses amies : il était évident qu'elles n'avaient pas la moindre idée de qui était Natalya Rattlova.

– Nous allons parler avec une authentique danseuse *étoile*, leur expliqua-t-elle. Elle a été l'une des plus grandes ballerines russes et dirige aujourd'hui une école très *prestigieuse* à Moscou !

Une voix légèrement métallique l'interrompit :

– Je te remercie pour ta présentation, ma *chérie* !
Les filles se retournèrent : une dame au
sourire DOUX, au regard fier et résolu, venait
d'apparaître sur l'écran et les observait. C'était
Natalya Rattlova !

L'ILLUSTRE ex-danseuse raconta aux jeunes filles que
le monde de la danse était en ÉMOI. En effet, depuis
quelque temps, une nouvelle agence avait fait
son apparition. En quelques
mois, elle était parvenue à
faire signer des contrats
à un grand nombre de
jeunes danseurs encore
inconnus.

– Cette agence s'appelle
« Mice for Dance* », expli-
qua Natalya. Tous les concours de cette année ont
été remportés par ses danseurs… même quand ils
ne le méritaient pas du tout !

– Ces derniers temps, on entend des commentaires très négatifs sur Mice for Dance,

intervint Mme Ratinsky. De nombreux collègues se sont plaints après cette **INCROYABLE** série de victoires complètement imméritées...

– Il semble que cette agence ait l'intention d'utiliser les danseurs gagnants pour des soirées de gala, des pubs et des **FILMS**... poursuivit Natalya, accablée.

– En échange de leur venue, l'agence touche d'énormes sommes d'argent, tandis que les danseurs sont tellement occupés à aller d'événement mondain en événement mondain qu'ils n'ont plus le temps de travailler. Inutile de dire que la qualité de leurs prestations s'en ressent **CONSIDÉRABLEMENT** !

Mme Ratinsky conclut, indignée :

– Ça, ce n'est pas l'*amour* de la danse... ce n'est que l'amour de la célébrité et de l'argent !

Les danseurs débutants employés par la mystérieuse agence Mice for Dance sont en train de rafler tous les concours. Mais il semble que la première préoccupation de cette agence ne soit pas l'amour de la danse...

RÊVES
VOLÉS

Les filles restèrent sans voix, tant elles étaient surprises. Elles étaient même EFfαrées !

– Comment est-il possible que cette agence s'en sorte aussi bien ? demanda Nicky.

– Le jury d'un concours international est composé d'artistes de tout *premier* plan... renchérit Paulina. Comment se fait-il qu'ils ne se soient aperçus de rien ?!

Natalya soupira :

– Hélas, l'agence Mice for Dance a été fondée par des gens qui connaissent le métier : des chorégraphes et des directeurs ARTISTIQUES qui sont arrivés par la tromperie à exercer d'importantes responsabilités. Nous craignons que, grâce à leurs connaissances et à leur expérience, ils soient parvenus à obtenir le soutien de personnalités du monde de la *danse*.

Mme Ratinsky fut plus explicite :

–Nous soupçonnons que l'agence a réussi à CORROMPRE certains membres de grandes compagnies de ballet, qui se sont laissés tenter par de l'argent. Avec leur complicité, l'agence Mice for Dance s'infiltre dans les jurys et truque le résultat des concours !

Les Téa Sisters étaient indignées.

–Tous les jeunes danseurs rêvent de participer à un concours, lança Violet. Mais, pour que ce rêve

LA SCALA – MILAN

Le théâtre de la Scala fut inauguré en 1778. Son nom vient de l'église Santa Maria alla Scala qui se dressait précédemment au même endroit. Le théâtre devint célèbre en tant que centre de la tradition de l'**opéra italien**, grâce aux œuvres de Rossini, de Donizetti, de Bellini, de Verdi, et au chef d'orchestre Toscanini. Il a par la suite étendu sa suprématie dans le domaine du ballet.

BOLCHOÏ – MOSCOU

Construit en 1824, c'est l'un des plus célèbres théâtres du monde pour l'opéra et le ballet. En russe, son nom signifie « le Grand ». Inauguré en 1825, il est lié à l'Académie chorégraphique d'État, encore appelée **Académie de danse du Bolchoï**, qui forme les danseurs de la compagnie officielle du théâtre.

De nombreux théâtres, dans le monde, hébergent une prestigieuse compagnie de ballet. Voici quelques-uns des plus célèbres.

METROPOLITAN OPERA HOUSE – NEW YORK

Inauguré à New York en 1883, il se trouvait à l'origine dans un autre endroit de la ville. Le bâtiment actuel, œuvre de l'architecte W. K. Harrison, ouvrit au public en 1966. Le Metropolitan (surnommé le Met, d'après les premières lettres de son nom) accueille l'une des plus célèbres compagnies de ballet du monde, l'**American Ballet Theatre**.

ROYAL OPERA HOUSE – LONDRES

Également connu comme «Covent Garden», du nom de la place de Londres sur laquelle il est situé, c'est l'un des plus célèbres théâtres du monde. Depuis 1732, le bâtiment a été détruit et reconstruit plusieurs fois. Celui que l'on peut voir aujourd'hui héberge la plus importante compagnie de ballet du Royaume-Uni, **The Royal Ballet**, qui a fêté son 75e anniversaire en 2006.

devienne réalité, il faut du temps, du travail, des efforts... poursuivit-elle.

Pam intervint sur un ton COMBATIF :

– Ce n'est pas seulement de l'argent que volent ces vauriens, mais les RÊVES de plein de danseurs ! Il faut les arrêter !

Natalya félicita sa collègue :

– Tu disais vrai, tes élèves sont pleines d'ÉNERGIE ! Avec leur aide, je suis certaine que nous pourrons démasquer les escrocs !

Mme Ratinsky SOURIT et expliqua aux jeunes filles le plan qu'elles allaient suivre. D'ici à quelques jours, l'école allait présenter quelques élèves au premier concours international du THÉÂTRE DE LA SCALA de Milan...

– Les responsables du théâtre ignorent sûrement tout des manœuvres de l'agence, précisa la directrice. Mais des personnes de confiance nous ont dit que parmi les membres du jury figurent plusieurs COMPLICES de Mice for Dance. Y a-t-il une meilleure occasion pour mener l'enquête ?

–Vous allez participer au concours avec les élèves de mon *école*, poursuivit Natalya. Vous aurez ainsi la possibilité de vous mêler aux concurrents et d'**OBSERVER** ce qui se passe dans les coulisses…

–Vous allez partir *IMMÉDIATEMENT* pour Milan ! conclut Mme Ratinsky en tendant aux jeunes filles cinq billets d'avion. Je vous ai réservé des places dans le premier **VOL** !

Violet faillit s'évanouir d'émotion : elles allaient participer à un vrai concours de danse !

COMME LE JOUR ET LA NUIT

Les Téa Sisters eurent à peine le temps de boucler leurs **BAGAGES** avant de partir pour l'Italie. Quand l'avion eut atterri à Milan, les filles prirent un **TAXI** pour se rendre à l'hôtel que l'organisation avait mis à la disposition des personnes participant au concours.

La ville les accueillit avec un coucher de soleil doré, qui se reflétait en **SCINTILLANT** sur les fenêtres et les **EAUX** des canaux.

Violet était tout excitée :

–Les filles, j'ai déjà les jambes qui *tremblent*... Comment pouvons-nous rivaliser avec des danseuses qui ont des années de pratique ?!

–Et c'est toi, la meilleure de nous cinq, qui demandes ça ? répliqua Pam. Qu'est-ce que nous devrions dire, nous ?!

MILAN

Moderne et pleine de vitalité, Milan est située en Italie : c'est la capitale de la Lombardie.

La ville, qui depuis toujours est une actrice importante de l'histoire italienne, tant du point de vue économique que du point de vue politique, est aujourd'hui considérée comme l'une des **capitales internationales de la mode et du design**, avec Paris, Londres et New York.

Paulina les *rassura* :

—Le règlement stipule que les inscrits qui ne parviendront pas en finale pourront tout de même participer au spectacle de gala...

Nicky acquiesça d'un ton grave :

—C'est exactement ce qu'il nous faut pour enquêter sur les **MANŒUVRES** de l'agence : n'oubliez pas que c'est pour cela que nous sommes ici !

—Et pour porter de fabuleux costumes lors de la soirée de gala ! rectifia Colette, rendant à ses amies leur bonne humeur.

Elles arrivèrent enfin à l'hôtel. Le hall était plein d'une invraisemblable foule de garçons et de filles provenant du monde entier, qui discutaient JOYEUSEMENT en mille langues différentes.

—**WOW !** s'exclama Pam. C'est l'ambiance internationale ! Mais regardez, là-bas, c'est Natalya !

Mme Rattlova les avait repérées dans la foule des nouveaux arrivants et se hâtait de les rejoindre. Elle était accompagnée de deux garçons d'âge et de taille identiques. L'un avait les cheveux noirs et semblait perdu dans ses pensées ; l'autre était blond et marchait la tête haute, fixant sur les jeunes filles un regard CURIEUX.

– Bienvenue ! dit l'ex-danseuse. Je vous présente mes deux meilleurs élèves, qui sont également mes neveux : Piotr et Vassili. Ils sont cousins, même s'ils sont si différents que, parfois, on a l'impression qu'ils PROVIENNENT de deux planètes très éloignées l'une de l'autre !

Vassili, le garçon blond, s'inclina gracieusement, salua les filles et arrêta le REGARD un peu plus longuement sur Violet. Elle s'en aperçut et rougit jusqu'au bout du nez !

– C'est un honneur de faire la connaissance d'une délégation aussi gracieuse ! commenta-t-il, joyeux.

Piotr lui lança un coup d'œil de désapprobation, puis s'approcha et salua les filles d'une voix profonde et calme :

– Merci pour votre aide : quand tout sera fini, il faudra que vous soyez nos invitées en Russie…

– Doucement, les garçons! se moqua gentiment leur tante. Vous vous disputez toujours la vedette, tous les deux... Vous risquez d'ennuyer nos nouvelles amies avec vos bavardages!

Piotr semblait avoir des manières plus discrètes que son cousin, mais, tandis que Natalya parlait, il ne put s'empêcher de jeter un regard furtif sur Violet.

Ce geste n'échappa pas à l'œil expert de Colette et la jeune fille sourit, pensant que les deux cousins allaient bientôt se disputer l'attention de son amie...

« Ils sont différents comme le jour et la NUIT... pensa-t-elle. Qui va l'emporter? »

QUELLE BRUTE !

Natalya rassembla les papiers d'identité des Téa Sisters et s'éloigna pour aller remplir les *formalités* d'inscription au concours.

–Je m'occupe des papiers pour les filles, dit-elle à ses neveux. Vous deux, faites l'effort de ne pas vous **DISPUTER** pendant quelques minutes, d'accord ?

Vassili se mit aussitôt au garde-à-vous avec une **GRIMACE** comique, ce qui provoqua l'hilarité des filles.

–À vos ordres, mon général… euh… ma tante !

Piotr, lui, ne répondit pas du tout, trop occupé à observer Violet.

La jeune fille remarqua son regard et **ROUGIT** de plus belle. Il lui proposa, avec galanterie :

–Je vais t'aider à porter tes bagages ! Mais je n'ai pas compris ton prénom…

–Violet ! intervint Pam, si brusquement qu'il sursauta. Elle, c'est Violet, moi, c'est Pam, et voici Nicky, Colette et Paulina. En effet, nous ne nous sommes pas encore présentées… **HÉ, HÉ, HÉ !**

–Ravi de faire votre connaissance ! répondit Vassili, du tac au tac.

Puis, prenant la main de Violet, il exécuta un galant baisemain, sous le regard mauvais de son cousin.

Les deux garçons paraissaient vraiment deux planètes attirées dans l'orbite d'un soleil !

Violet était tellement GÊNÉE qu'elle ne savait plus où poser le regard…

Heureusement pour elle, les portes vitrées de l'hôtel s'ouvrirent à ce moment-là et cinq nouveaux danseurs firent leur entrée.

– Voici les danseurs de Mice for Dance, murmura Piotr.

C'étaient deux filles et trois garçons qui s'avancèrent d'une démarche HAUTAINE, le menton levé, sans daigner prêter la moindre attention à ceux qui les entouraient.

Les autres s'écartèrent sur leur passage, avec des expressions apeurées ou indignées.

Mais tout le monde éclata de RIRE lorsque le grand danseur musclé qui guidait le groupe trébucha contre un sac de voyage qui traînait dans l'entrée.

–EH ! hurla-t-il, exaspéré, en chancelant.

Aussitôt, ses camarades de l'agence vinrent à son secours.

–À qui appartient ce sac ?! gronda l'un d'eux d'une voix accusatrice.

–E-excusez-moi… répondit une petite voix. C'est à moi…

Une jeune fille mince s'approcha, craintive, et s'excusa timidement. Elle avait de très beaux yeux noisette et une ÉPAISSE chevelure blonde qui formait une longue tresse.

Le danseur MALADROIT la malmena en s'époumonant :

–Tu sais qui je suis ?! Gaspard Gerbille ! Tu pouvais briser la carrière de la prochaine étoile*

* Dans une compagnie de ballet, une étoile est un danseur ou une danseuse vedette.

de l'Opéra de Paris, tu te rends compte ?! braillat-il, pointant son doigt contre elle d'un air menaçant.

Le silence tomba dans le hall et tout le monde tourna les regards vers eux. Aucune des personnes qui assistaient à cette scène n'osa répondre à cette **BRUTE**...

 Les danseurs de l'agence se comportent d'une manière arrogante et Gerbille semble particulièrement sûr de lui ! Comment peut-il être aussi certain de devenir une étoile de la danse ?

UN VRAI CONTE DE FÉES !

Les Téa Sisters *FRÉMISSAIENT* d'indignation : on n'avait pas le droit de traiter quelqu'un comme ça, surtout pas pour une distraction de rien du tout !

Piotr remarqua l'expression irritée de Violet et *BONDIT* vers le petit groupe.

–Laissez-la tranquille, elle n'a rien fait de **mal** ! ordonna-t-il, tandis que les Téa Sisters se plaçaient entre la jeune fille et ses accusateurs.

Gaspard leur décocha un regard **GLACIAL**.

–Et vous êtes qui, vous ? Ses gardes du corps ?!

–Non, mais nous n'aimons pas les **BRUTES**, répliqua Vassili en rejoignant son cousin et en se plaçant à côté de lui d'un air renfrogné.

Pam intervint rapidement : les événements prenaient **MAUVAISE** tournure !

–Ça suffit ! lança-t-elle. N'oublions pas que nous sommes ici pour le concours !

–**Très juste!** reconnut Gerbille d'un air méprisant. Nous réglerons cela sur scène, comme tous les vrais danseurs.

–Avec des perdants dans votre genre, ce sera un jeu d'enfant! se moqua un de ses camarades.

–Et quand nous serons là-haut, parmi les étoiles, ajouta l'une des filles, vous serez assis dans le public, à vous ronger les ongles!

Ils s'**ÉLOIGNÈRENT** en ricanant, sous les regards perplexes des participants du concours qui se trouvaient dans le hall.

La jeune danseuse à la tresse blonde poussa un soupir de soulagement :

–Merci, merci du fond du cœur!

Puis elle se présenta :

–Je m'appelle Carlotta et j'habite ici, à Milan. Je suis simplement venue confirmer mon inscription, je n'avais pas l'intention de créer des problèmes!

Les Téa Sisters s'attardèrent pour bavarder avec elle et découvrirent que l'histoire de son amour pour la danse était vraiment singulière.

–Ma mère était costumière de la Scala, raconta-t-elle. Aussi, depuis toute petite, j'ai connu l'excitation de la scène, les soirées de première, les compagnies les plus prestigieuses...

Les Téa Sisters écarquillèrent les yeux.

–Je n'avais que six ans lorsque j'ai décidé de devenir danseuse, poursuivit Carlotta. Mon RÊVE était d'entrer dans une école de danse, mais ma famille ne pouvait pas se le permettre. J'ai donc commencé à étudier seule...

Carlotta avait passé des années à observer dans les coulisses les mouvements des plus grands danseurs, à écouter les conseils de leurs maîtres, avait essayé de les répéter et espérait qu'un jour elle pourrait elle aussi évoluer sur la même scène.

–Cette année, enfin, j'ai rassemblé tout mon courage et j'ai envoyé au comité de sélection une **VIDÉO** de moi pour les épreuves d'admission... J'avoue que j'avais du mal à y croire, mais... on m'a appelée ! conclut-elle, les yeux *brillants* d'émotion. J'ai encore l'impression de vivre un rêve !

Carlotta et les Téa Sisters décidèrent de se revoir le lendemain pour assister ensemble au premier rendez-vous *officiel* du concours : le tirage au sort de l'ordre de passage des candidats, qui se déroulerait à l'intérieur du théâtre.

–Pour vous remercier de votre aide... conclut la jeune fille d'un air **mystérieux**, je vous réserve une surprise !

ÎNTRÎGUES ET SOUPÇONS

Le lendemain matin, les filles sortirent de l'hôtel sous la direction de Paulina, qui feuilletait sans cesse un guide de la ville. Mais dès qu'elles arrivèrent place de la Scala, elles n'eurent plus besoin du plan : la silhouette majestueuse du théâtre se découpait, bien reconnaissable, sur le ciel bleu !

Carlotta les salua des arcades, en AGITANT la main et en criant :

– Par ici, les filles !

Après les salutations, Carlotta dévoila sa surprise :

– Le tirage au sort commence dans une heure, mais j'ai obtenu l'autorisation de vous faire faire une visite particulière !

Les Téa Sisters furent émerveillées par les précieux marbres et les stucs dorés de l'entrée.

Mais une plus grande surprise les attendait à l'intérieur de la salle de spectacle.

– *Oooooooooooh !* soupira Colette. Quelle splendeur, on dirait un vrai palais !

– Regardez le LUSTRE, s'exclama Nicky, la tête levée. Une vraie cascade de lumière !

Mais la visite guidée n'était pas finie.

– *VITE !* s'exclama leur nouvelle amie. Suivez-moi dans les coulisses : vous ne pouvez pas imaginer ce qui vous y attend…

Et elle avait raison ! En passionnée de MÉCANIQUE qu'elle était, Pam fut littéralement émerveillée par le spectacle de l'imposante machinerie cachée derrière le rideau de scène : innombrables projecteurs suspendus en l'air, CORDES, treuils électriques, échelles et toiles de fond changeables, tout un système compliqué de passerelles…

– Spectaculaire ! s'exclama-t-elle, les YEUX brillants d'émotion.

Carlotta leur montra également l'arrière-scène, les salles de répétition et les loges des danseurs, du

LA SCALA

La Scala peut accueillir environ 2 000 spectateurs, assis à l'orchestre, dans les loges et dans les galeries. La scène est vraiment gigantesque : elle fait 20 x 18 mètres ! Derrière le rideau, décors et lumières sont manœuvrés à partir d'une tour scénique dotée des technologies les plus modernes, qui culmine à 36 mètres. Le théâtre a été restauré et agrandi par d'importants travaux entre 2002 et 2004.

chœur et de l'orchestre. À la fin de ce **tour**, elles se retrouvèrent sur la longue passerelle d'où les techniciens manœuvrent les décors. La scène était là, dans la pénombre derrière le rideau, trente-cinq mètres plus bas.

– Il est l'heure de **REDESCENDRE**, annonça Carlotta. Les membres du jury sont sûrement en train de se préparer.

La scène était plongée dans l'**OBSCURITÉ** et les jeunes filles ne pouvaient rien voir, mais elles entendirent des voix **CONFUSES**, amorties par la distance.

– Alors d'accord, dit une voix aiguë. Je m'en occupe... la fiche tirée au sort...

– C'est cela... puis tu la remplaces par celle de notre candidat, répondit une autre voix.

Une troisième voix, plus **profonde** que les autres, s'ajouta aux deux premières :

– Nos danseurs doivent passer en premier... les envoyer tout de suite... reportage **PHOTOGRA-PHIQUE**... revue de mode...

–Mais que se passe-t-il? murmura Carlotta, inquiète. De quoi parlent-ils?

Les Téa Sisters échangèrent un regard de connivence : il était évident que les trois personnes, en bas, étaient en train de parler du tirage au sort pour le concours et qu'ils mijotaient quelque chose...

Et si les jurés étaient complices de l'agence?

Mais les trois personnages furent interrompus par un appel lancé d'une voix forte et déterminée :

–Alors, mes chers collègues? On va pouvoir commencer?

Carlotta n'eut aucune **HÉSITATION** :

–Celui-là, je le reconnais! C'est Enrico Ratetti, le directeur artistique du concours, j'en suis sûre!

Les **CONSPIRATEURS** changèrent de sujet et s'éloignèrent avec Ratetti.

–Par mille **PISTONS** grippés, nous devons absolument découvrir qui sont les trois autres! murmura Pam. Natalya avait raison : il se passe ici quelque chose de vraiment *louche*…

Mais l'enquête allait devoir attendre : le tirage au sort allait commencer, il fallait d'**URGENCE** retourner dans la salle!

 À qui appartiennent les trois voix qui complotent dans l'ombre? De quoi parlaient-elles?

JE M'Y OPPOSE !

Les filles, tout essoufflées, regagnèrent la vaste salle illuminée. Les fauteuils rouges se remplissaient peu à peu de danseurs anxieux qui attendaient de connaître l'ordre dans lequel ils se produiraient sur scène.

Piotr, Vassili et Natalya étaient déjà là et, dès qu'ils virent leurs amies, ils les appelèrent à GRANDS cris.

–Enfin, vous êtes là ! dit Natalya.

Puis elle s'adressa à Carlotta et ajouta, en la regardant avec tendresse :

–Je suppose que tu es la danseuse italienne… Ces deux chenapans m'ont raconté l'incident d'hier !

Vassili et Piotr ROUGIRENT, regardant les jeunes filles à la dérobée.

–Euh… Nous avons un peu exagéré, nous aussi…
s'excusa Vassili, honteux.

–Ce n'est pas la première fois que les danseurs
de Mice for Dance se comportent avec ARRO-
GANCE, intervint Natalya, lorgnant en direction des cinq jeunes gens qui avaient agi avec
BRUTALITÉ.

Mais, à cet instant, le lourd rideau écarlate se leva :
d'un coup, un silence lourd de tension tomba sur
toute la salle.

Les jurés faisaient leur entrée et s'installaient sur scène.

– Celui avec la canne, c'est Ratetti, le président du jury. C'est une véritable célébrité à la Scala, murmura Carlotta pour ses amies, en désignant un personnage à l'air distingué. Il paraît que c'est un chorégraphe très sévère.

Natalya acquiesça et ajouta :

– Il a toujours eu des idées un peu étroites. Ratetti a toujours pensé que, pour devenir un grand artiste, il suffit de fréquenter une école PRESTIGIEUSE.

Nicky vit Carlotta baisser les yeux et lui posa une main sur l'épaule, pour l'encourager :

– Allez, je suis sûre que c'est toi qui vas lui prouver qu'il a tort !

– Et qui sont les autres ? demanda Pam, en scrutant les jurés qui prenaient place.

– Ce sont d'anciens danseurs, comme moi, répondit Natalya, en OBSERVANT les six autres jurés. Puis elle ajouta en baissant la voix :

–Si les résultats sont **TRAFIQUÉS**, ce sera sans doute parce que l'un d'eux aura été acheté par Mice for Dance !

Ratetti s'éclaircit la voix, consultant sa montre d'un air **renfrogné** :

–Bien, mesdames et messieurs, nous allons commencer. Il est déjà tard et nous n'avons pas de temps à perdre !

Mlle Kachoskaïa, une petite DAME mince à la

mine sévère, commença le tirage au sort des participants. La première fiche fut transmise à Mme Fledermaus, une dame aux **cheveux** courts et aux yeux noirs, qui lut à voix haute le nom du danseur sélectionné.

–Gaspard Gerbille ! annonça-t-elle. Élève de la *prestigieuse* école parisienne de Mme de Bois et membre de Mice for Dance. Il se présente comme soliste.

Marthe Fledermaus

Les Téa Sisters chuchotèrent : le premier danseur sélectionné était justement quelqu'un de l'agence !

Les trois inconnus qui complotaient dans les coulisses étaient sûrement des membres du jury !

Et les surprises n'étaient pas finies... Comme les Téa Sisters l'avaient deviné en surprenant cette conversation, les cinq premières places furent attribuées aux danseurs de Mice for Dance.

Apparemment, le sabotage du tirage au sort avait parfaitement fonctionné !

L'appel des danseurs continua sans incident... Jusqu'à ce que le nom de Carlotta soit tiré au sort !

– CARLOTTA SOURIGNANI ! annonça Mme Fledermaus. Autodidacte, elle s'est inscrite au concours comme danseuse soliste !

Les Téa Sisters se serrèrent autour de leur nouvelle amie, très émue. Mais une voix venant de la scène RAFRAÎCHIT leur enthousiasme :

– AUTODIDACTE ?!?

C'était Enrico Ratetti, l'ancien chorégraphe à l'air distingué, le président du jury !

 Les cinq danseurs de l'agence sont tirés au sort en premier : y aurait-il un rapport entre cela et les trois jurés qui complotaient dans les coulisses ?

Il **LANÇA** à Carlotta un regard menaçant.

– C'est **inouï** ! Seuls les élèves des meilleures écoles peuvent participer au concours. Nous ne pouvons accepter votre candidature. Je m'y **OPPOSE** !

*Enrico
Ratetti*

UNE VRAIE DANSEUSE

Les Téa Sisters restèrent sans voix. Et elles ne furent pas les seules dans l'assistance !

Nicky fut la première à **REPRENDRE** ses esprits :

–Exclure une danseuse pour la simple raison qu'elle n'a jamais fréquenté d'école PRESTI-GIEUSE ?! C'est un comble !

–Si ça se trouve, il est de mèche avec l'agence… chuchota Pam. Il craint peut-être que Carlotta soit meilleure que les danseurs de Mice for Dance…

–Mais, dans ce cas, pourquoi n'exclure qu'elle ? objecta Paulina en secouant la tête.

Colette et Violet, cependant, consolaient leur amie affligée, qui avait les larmes aux yeux et ne trouvait pas la **FORCE** de se défendre.

Cependant, sur la scène, Mme Fledermaus tentait de raisonner Ratetti :

–Cette jeune fille a été sélectionnée grâce à une **VIDÉO** qu'elle a envoyée. Elle est aussi talentueuse et elle est au même niveau que les autres. Aucun article du règlement n'interdit qu'elle participe à ce concours…

–Eh bien c'est moi qui l'interdis ! **gronda** Ratetti en la coupant. Il n'est pas question d'accepter n'importe qui : cela reviendrait à brader le concours. Il est impossible qu'une vraie danseuse puisse s'**ÉPANOUIR** sans une formation digne de ce nom !

– Mais, travailler dur et être passionné, cela ne se trouve pas seulement dans les écoles prestigieuses, répliqua une voix dans l'assistance.

Tout le monde se **retourna**, pour tenter de voir qui avait parlé. C'était Violet ! Les autres Téa Sisters la regardèrent avec fierté, tandis qu'elle défendait leur nouvelle amie. D'habitude, Violet était plutôt timide et réservée, mais elle pouvait devenir une lionne quand elle était confrontée à l'INJUSTICE !

– Carlotta a travaillé dur, comme tous ceux qui se trouvent dans cette salle. Vous ne pouvez pas l'exclure avant de l'avoir vue danser ! poursuivit-elle. Ce qui fait une véritable ballerine, c'est le talent, le style et l'amour de la danse !

Cette déclaration fut accueillie par un tonnerre d'applaudissements. Elle avait ému tous ceux, garçons ou filles, qui consacraient chacun de leurs instants, de leurs RÊVES et de leurs pensées à la danse, espérant pouvoir un jour se produire sur une scène illustre…

Ratetti, assez **impressionné**, recula de quelques pas. Il ne savait pas comment s'opposer à des paroles si passionnées !

– Bon. Eh bien, d'accord… qu'on l'accepte, **MARMONNA**-t-il, peu convaincu.

Puis il se tourna vers Carlotta, levant un doigt menaçant.

– Mais je vous aurai à l'œil, mademoiselle ! Faites en sorte d'être à la **HAUTEUR** de nos attentes !

Puis il **CONSULTA** nerveusement sa montre,

LE BALLET

Depuis toujours, le ballet recrute chez tous les artistes et chez tous les amoureux de la danse, sans distinction de sexe, d'âge ou de classe sociale. Par exemple, la célèbre ballerine russe **Agrippina Iakovlevna Vaganova (1879-1951)** était fille d'un portier du théâtre Mariinsky, à Saint-Pétersbourg. Elle mit au point une méthode d'enseignement qui fut adoptée dans nombre d'écoles de niveau international, ce qui fait d'elle une des personnalités les plus importantes de l'histoire de la danse. Aujourd'hui encore, la méthode Vaganova reste une précieuse source d'inspiration pour les enseignants et les passionnés de ballet du monde entier !

comme s'il avait peur d'être en retard à un rendez-vous, et, en un *ÉCLAIR*, il se retira dans les coulisses, suivi par les autres jurés.

Carlotta pleurait de BONHEUR et ne savait pas comment remercier Violet.

De leur côté, Piotr et Vassili soulevèrent les deux jeunes filles en l'air, sans aucun effort, et les portèrent en triomphe entre les fauteuils. De nombreux jeunes gens s'approchèrent pour féliciter Carlotta. Leur *amour* ♥ commun pour

la danse les rapprochait davantage qu'un simple concours ne pouvait les opposer.

Seuls les cinq danseurs de l'agence ne se joignirent pas au chœur des *félicitations* : ils paraissaient même très contrariés par la soudaine popularité de leur rivale.

Les Téa Sisters sortirent du théâtre, rayonnantes, mais Paulina ramena chacun sur terre.

– Tout s'est bien passé, grâce à Violet. Mais, après l'**esclandre** de Ratetti, nous avons un nouveau nom à ajouter sur la liste des suspects…

C'EST COMPLET!

L'après-midi, les Téa Sisters et leurs nouveaux amis RETOURNÈRENT au théâtre pour les répétitions, mais ils tombèrent sur une MAUVAISE surprise : le chorégraphe français membre du jury, Maurice Le Bars, BLOQUAIT l'entrée de la salle de répétition du théâtre.

Les épreuves officielles du concours devaient débuter deux jours après le tirage au sort, mais les danseurs pouvaient commencer à s'entraîner avant.

Mais cette fois-là, il était évident que quelqu'un voulait mettre les concurrents en difficulté en les empêchant de répéter...

Les jeunes filles pensèrent que c'était là une tactique pour favoriser les danseurs de Mice for Dance...

Maurice
Le Bars

– Je suis désolé, on ne peut pas entrer, siffla Le Bars d'un ton mielleux lorsque les Téa Sisters et leurs amis s'approchèrent.

Paulina sursauta : elle avait déjà entendu cette voix ! Mais elle n'eut pas le temps de le dire à ses amies, parce que Vassili avait **BONDI** en avant, prêt à en découdre.

– Comment ça « on ne peut pas » ? protesta-t-il. Nous devons répéter, comme tous les concurrents !

– Je sais bien… répondit Le Bars, feignant d'être compréhensif. Mais cette salle est réservée à ceux qui passeront en premier.

Piotr se plaça à côté de son cousin et serra les poings, prêt à répliquer, mais Natalya l'arrêta juste à temps :

– Pas de problème, les enfants ! La Scala a deux salles de répétition pour la danse. Il nous suffira d'aller dans celle de l'étage inférieur !

Le petit groupe se DIRIGEA donc vers les ascenseurs.

Pendant qu'ils descendaient, Paulina raconta à ses amies :

– J'ai reconnu cette voix, les filles ! Le Bars était l'un des types qui complotaient dans les coulisses !

– Ça ne m'étonne pas, acquiesça Nicky. Ils veulent nous **empêcher** de nous entraîner pour avantager les danseurs de l'agence !

Lorsqu'ils arrivèrent à la seconde salle de répétition, une nouvelle surprise les attendait.

– Tout est complet, je regrette ! les prévint Mlle Kachoskaïa.

Natalya insista, mais elle dut se rendre à l'évidence : les danseurs étaient si nombreux à l'intérieur qu'ils devaient attendre leur tour pour s'exercer à la barre !

– C'est normal qu'elle soit pleine, commenta Piotr, découragé, tandis qu'ils s'éloignaient. Tous ceux

Olga
Kachoskaïa

qui ont été chassés de l'autre salle se sont repliés sur celle-ci !

Mais Colette avait remarqué quelque chose d'autre :

– Il me semble que j'ai également reconnu cette voix ! SOULIGNA-t-elle en s'approchant de Paulina.

Son amie acquiesça. La femme qu'ils avaient entendue comploter dans les coulisses était sûrement cette Kachoskaïa.

– Et maintenant qu'allons-nous faire ?! gémit Pam, qui tremblait à l'idée de danser sans avoir pu répéter.

– Ne t'inquiète pas ! s'exclama Carlotta. La Scala ne manque pas de salles : l'arrière-scène est aussi grande que la scène, allons-y, là-bas personne ne nous dérangera !

Tous la suivirent avec enthousiasme, mais, dès qu'ils arrivèrent sur place, une nouvelle déconvenue les attendait.

– Désolé ! expliqua Ricardo Mus. Nous préparons

une répétition générale : on ne peut pas utiliser l'arrière-scène.

Puis il leva un **sourcil**.

–Vous n'avez qu'à demander à
Ratetti de vous faire un peu de
place sur scène : il répète avec
le corps de ballet *officiel*, mais
je suis sûr qu'il sera très heureux de
vous accueillir !

Et il s'éloigna en RICANANT.

–Laissez-moi deviner, commenta Vassili,
accablé. Vous l'avez reconnu, lui aussi :
c'était l'un des jurés que vous avez enten-
dus comploter dans les coulisses !

*Ricardo
Mus*

Les Téa Sisters acquiescèrent en **soupirant**.

Carlotta les regarda d'un air interrogatif et les
filles informèrent leur nouvelle amie de leurs
soupçons.

Après avoir entendu le récit des Téa Sisters,
Carlotta elle aussi se RENFROGNA...

En constatant les expressions déçues et découragées des jeunes gens, Natalya comprit que, pour le moment, il y avait quelque chose de plus important que les répétitions : leur **remonter** le moral !

Les Téa Sisters ont reconnu les voix des trois jurés qui conspiraient dans les coulisses : Le Bars, Kachoskaïa et Mus ! Tous trois semblent chercher à mettre en difficulté les danseurs qui veulent répéter. Seraient-ils de mèche avec l'agence ?

TOUTE LA VILLE POUR SCÈNE !

Les jeunes gens étaient assis, *DÉCOURAGÉS*, sur un banc de la place du théâtre.

–Debout! les encouragea Natalya. Un véritable artiste n'a pas besoin d'une salle pour créer... L'**ART** est partout!

Ses deux neveux n'avaient pas du tout l'air de partager son **enthousiasme**.

–Tu voudrais que nous répétions ici... en extérieur?! répliqua Piotr en se levant d'un bond, effaré.

–Mais, tata, il y a le **VA-ET-VIENT** de danseurs qui proviennent des théâtres les plus célèbres du monde! ajouta Vassili, regardant autour de lui avec inquiétude. J'aurais tellement **honte** que je n'oserais plus jamais monter sur aucune scène!

– Mais regardez-vous un peu! s'exclama Pam, en dévisageant les deux garçons d'un air dur. Ce n'est pas le moment de se montrer **orgueilleux**!

– Très juste! intervint Nicky. Nous sommes ici pour des raisons plus *sérieuses* et nous ne pouvons pas laisser gagner les types de l'agence!

– S'ils nous interdisent de répéter dans une salle… continua Paulina, nous utiliserons la ville!

Colette, enthousiaste, applaudit à cette proposition :

– Excellente idée ! Nous aurons toute la ville de Milan pour scène !

Natalya sourit et acquiesça, ravie : ça, c'était un excellent état d'esprit !

Carlotta proposa la solution parfaite :

– Je sais où nous pouvons aller ! À quelques stations de métro d'ici, nous aurons à notre disposition un **parc** tout entier, rien que pour nous !

Violet s'approcha des cousins qui BOUDAIENT encore et leur demanda doucement :

– On y va ?

Il n'en fallut pas plus pour que les deux garçons se lèvent d'un **bond** et se mettent en marche avec elle, bras dessus, bras dessous. Violet ne dit rien, mais Pam devina l'EMBARRAS de son amie : aussi prit-elle l'un des cousins par le bras, invitant les autres d'un geste :

– Suivez-nous !

Ainsi, le petit groupe forma une longue chaîne et les huit danseurs s'éloignèrent gaiement, en esquissant des pas de danse.

Aucun d'eux ne s'aperçut qu'une **mystérieuse** silhouette les épiait depuis qu'ils avaient quitté le théâtre…

Pour arriver au métro, ils traversèrent la très CHIC galerie Vittorio Emanuele II, qui fascina Colette avec ses marbres, sa verrière et ses vitrines étincelantes.

Pam se précipita vers un magasin qui vendait des glaces à tous les parfums : une grande spécialité italienne, à s'en lécher les moustaches !

Arrivée place du Duomo, Paulina ne cessait de prendre des **PHOTOGRAPHIES** : on aurait dit qu'elle voulait immortaliser toutes les FLÈCHES de la cathédrale... une à une !

Après le bain de foule dans le métro, la place du Château, avec sa *fontaine*, parut une véritable oasis de paix. Après avoir passé les murailles, ils traversèrent le bâtiment MASSIF et parvinrent enfin dans le parc Sempione.

– On va pouvoir se mettre aux choses sérieuses ! soupira Nicky, en s'ÉCLAIRANT.

Puis elle fit une petite course, pour se dégourdir les jambes.

Quant à Pam, elle trouva un groupe de percussionnistes qui répétaient dans un petit amphithéâtre et elle se lança dans une démonstration effrénée de hip-hop, bientôt imitée par Vassili.

Enfin, ils découvrirent une place pavée et essayèrent quelques pas, sous le regard attentif de Natalya et celui, amusé, des passants. Quelle merveille !

LA VILLE POUR SCÈNE!

Un après-midi fantasouristique pour les Téa Sisters !
Mais quelqu'un les suit de près… Le vois-tu ?

Si tu ne trouves pas, la réponse t'attend page 90.

Les jeunes gens répétèrent avec acharnement et enthousiasme jusqu'au **SOIR**. À la fin de la journée, ils avaient les muscles si douloureux et ils avaient en même temps tellement ri qu'ils étaient épuisés, mais plus unis que jamais.

–Vivre, danser ensemble, RESPI-RER… voilà la recette pour se remonter le moral ! commenta Natalya Rattlova.

Puis elle ajouta, avec un petit sourire **RUSÉ** :

–J'ai bien l'impression que, au lieu de contrarier nos projets, ces filous de l'agence nous ont donné un sacré coup de main !

UN ESPION
DANS L'OMBRE

Après avoir dit bonsoir à Carlotta, qui rentrait dîner chez elle, les filles retournèrent à l'hôtel et se changèrent à toute **VITESSE** : après une telle journée, elles ne manquaient pas d'appétit !

Au restaurant, elles retrouvèrent les autres *danseurs* du concours, réunis en une joyeuse troupe pleine de *couleurs* et de rires.

Nicky se lia d'amitié avec deux danseuses australiennes et Violet fit la connaissance d'une jeune **CHINOISE** qui étudiait la danse à Pékin.

Quant à Vassili et Piotr, fidèles à leur habitude, ils trouvèrent encore le moyen de se **CHAMAILLER**.

D'après Vassili, pour se **RENOUVELER**, le ballet devait pouvoir s'ouvrir aux influences du monde entier.

Piotr, lui, était convaincu que la seule manière de sauver le ballet était de s'en tenir à la tradition de l'*école* russe, l'une des plus anciennes. Comme chacun d'entre eux trouva des renforts parmi les autres convives, la discussion devint bientôt très animée. Heureusement, Nicky se mêla au débat et en fit DÉVIER le cours :

– Je ne vois pas les danseurs de Mice for Dance… Ils ne dînent pas avec nous ?

Aussitôt, tout le monde se jeta sur ce nouveau sujet en s'ÉCHAUFFANT encore plus !

– Ils sont vaniteux ! soupira une danseuse belge.

La nouvelle amie chinoise de Violet secoua la tête :

– Ils ne sont pas mauvais, mais le problème, c'est que l'on ne peut pas bien danser après avoir fait la fête toute la nuit !

Les Téa Sisters découvrirent ainsi que les danseurs de l'agence avaient été invités à une soirée de gala pour la présentation d'un FILM, puis à l'inauguration d'une nouvelle discothèque.

– Vous ne trouvez pas cela bizarre ? commenta

Paulina. Durant un concours, ils devraient rester concentrés au lieu de faire la N⦿CE !

Colette repensa aux indices qu'elles avaient rassemblés et ajouta à voix basse :

– À moins qu'ils ne soient sûrs de gagner…

Après le dîner, les Téa Sisters eurent une nouvelle confirmation de leurs **SOUPÇONS**. Devant l'ascenseur, elles croisèrent Gaspard Gerbille. Très *élégant*, il rentrait dans sa chambre pour se changer, avant de se rendre à l'événement mondain suivant.

Il paraissait très fatigué et avait des cernes sous les yeux, mais il n'avait pas perdu son habituelle **ARROGANCE**.

– Salut, beautés ! les salua-t-il.

Puis il fit un clin d'œil à Colette et lui prit la main.

–Une longue nuit en discothèque m'attend, mais, si tu veux, la première *danse* est pour toi !

Colette se libéra avec grâce :

–Il vaudrait mieux que tu t'économises pour demain, Gaspard ! lui suggéra-t-elle en souriant. Il y a un concours qui t'attend, tu t'en souviens ?

Le garçon soupira, insouciant :

–PFFF ! Ça ? Je t'assure que ma VICTOIRE est déjà acquise. Et quand nous aurons gagné...

–Oui, oui, nous savons ! conclut Pam en entrant dans l'ascenseur avec ses amies. Toi et tes copains, vous brillerez sur scène tandis que nous serons dans le public, vous nous l'avez déjà dit...

Gaspard resta comme un nigaud devant les portes de l'ascenseur qui se refermaient devant son museau. Enfin, il se retourna pour se DIRIGER vers l'escalier, mais une main s'abattit brusquement sur son épaule et il sursauta.

–Qu'est-ce que c'est ? s'exclama-t-il d'une voix étranglée.

Il reconnut aussitôt la silhouette dans l'**ombre** et s'approcha prudemment.

–Ah, c'est toi. Que se passe-t-il?

Son  interlocuteur recula dans la pénombre pour ne pas être vu et murmura :

–J'ai suivi ces filles toute la journée : elles représentent un danger pour nous. Il va falloir que tu nous aides à les mettre en **DIFFICULTÉ** !

 L'espion qui a suivi les Téa Sisters connaît Gerbille ! Qui cela peut-il bien être ? Et pourquoi veut-il mettre les cinq filles en difficulté ?

DES PHOTOS RÉVÉLATRICES

Cependant, les Téa Sisters étaient arrivées dans leur chambre et se *détendaient* en repensant à l'après-midi fantasouristique qu'elles avaient passé ensemble. Paulina avait transféré ses photographies sur son ordinateur portable et

ses amies se pressaient autour de l'écran pour commenter les images.

– **REGARDEZ** Pam ! dit Nicky en éclatant de rire. La glace était plus grosse qu'elle !

Pam sourit et, pour toute réponse, fit taire son amie en lui assenant un coup d'**oreiller** sur la tête.

– La cathédrale est magnifique ! poursuivit Paulina, en faisant *DÉFILER* les photos. Et le parc…

Mais, soudain, Violet devint grave :

– Eh ! Arrête-toi sur cette photo. Tu peux l'agrandir ?

Paulina s'exécuta aussitôt et Violet étudia l'image

VOICI LE TYPE MYSTÉRIEUX QUI A SUIVI LES TÉA SISTERS !

pendant quelques secondes en plissant le front, concentrée. Enfin, elle désigna l'écran à ses amies :

– Regardez, ce type avec le chapeau : c'est bizarre, vous n'avez pas l'impression de l'avoir déjà vu ?

– Mais… attends ! dit Pam. Ce type se trouvait encore devant le CHÂTEAU !

– Et au parc, il me semble… ajouta Colette, en se concentrant pour se souvenir.

Paulina rapprocha aussitôt toutes les photos. Sur chaque cliché, il était là, ce TYPE pas très grand,

avec un chapeau et un imperméable trop **CHAUD** pour la saison.

– Qui cela peut-il bien être ? se demanda Colette.

– Hum... grommela Nicky. J'ai comme l'impression que, cette fois encore, il faut y voir la **PATTE** de l'agence...

– Ils commencent à exagérer ! s'exclama Pam. D'abord, ils nous ~~EMPÊCHENT~~ d'entrer dans les salles de répétition, et maintenant...

– Nous devons faire très attention, ajouta Paulina. Il se pourrait que les trois jurés que nous avons reconnus ce matin ne soient pas les seuls complices.

Colette conclut, G R A V E :

– Natalya avait raison : rien ne les arrêtera, pourvu qu'ils puissent remporter la victoire !

Les filles soupçonnent que c'est l'agence qui les a fait suivre : ont-elles raison ?

LE CHOIX

Le lendemain matin, les filles se préparèrent en un temps **record** et arrivèrent parmi les premiers devant la salle de répétition du théâtre.

–Cette fois, les jurés corrompus ne pourront pas nous faire de BLAGUE, les rassura Natalya en les accueillant avec un grand sourire. Aujourd'hui, ce sont les répétitions des pas imposés et tous les participants doivent être présents dans la salle. Il n'y aura pas d'exclus !

C'est Ratetti en personne qui OUVRIT les portes avant d'aller se placer dans un coin, scrutant d'un air sévère la petite foule de danseurs qui entraient et se préparaient à danser.

Quand tout le monde eut pris place à la barre devant le miroir, les exercices d'échauffement

commencèrent. Les Téa Sisters étaient émues et
Violet semblait la seule à être à l'aise : ses bras
dessinaient en l'air d'harmonieuses volutes et ses
jambes s'étiraient sans effort. Natalya étudiait
chacun de ses mouvements en acquiesçant,
satisfaite. «Violet est vraiment très gracieuse,
pensait-elle. Avec l'un de mes garçons, elle
formera un couple parfait pour le *pas de deux**.»
Durant les EXERCICES à la barre, Colette et
Carlotta se retrouvèrent côte à côte et les autres
danseurs crurent qu'ils voyaient double.
Ce jour-là, en effet, sans le faire exprès, les deux

* Un «pas de deux» est la partie d'un ballet dansée en duo.

filles s'étaient habillées de la même façon et on les aurait presque prises pour... des jumelles !

–Quelle ressemblance ! observa Pam. En plus, vous avez la même coiffure !

Amusée par cette coïncidence, Colette s'inspira des mouvements précis de Carlotta, comme si elle voyait son image reflétée dans le miroir ! Grâce à cela, elle donna le meilleur d'elle-même et Natalya la choisit comme seconde interprète pour le *pas de deux* de ses neveux.

Mais c'est alors que Vassili et Piotr se DISPU-TÈRENT l'honneur d'être accompagné par Violet.

Évidemment, c'était à leur professeur de choisir. Mme Rattlova les surveilla d'un œil critique pendant tout l'échauffement, tandis que les deux garçons se lançaient de furtifs regards de DÉFI.

À la fin, Natalya s'approcha des garçons et prononça son verdict :

–Violet accompagnera Piotr et Vassili dansera en duo avec Colette.

Piotr arbora alors un sourire de *triomphe*.

–Incroyable ! murmura Nicky à Colette, en lui faisant un **CLIN D'ŒIL**. Ça doit être la première fois que ton charme se place en deuxième position !

Colette éclata de rire et répondit :

–OUI, EN EFFET !

Puis elle désigna Violet, qui avait les joues rouges comme des tomates mûres :

–Mais je crois que Vivi se passerait volontiers de cette première place !

POUF...
POUF...

Puis vint le moment de répéter les pas : les exercices étaient plus compliqués que ceux exécutés à la barre. Des petits groupes de danseurs se succédèrent au centre de la salle. Les premiers concurrents prirent position. Au début, ils répétèrent les **MOUVEMENTS** lents et soutenus, puis ils passèrent aux figures plus dynamiques et compliquées : des petits sauts et des *glissades** aux sauts plus difficiles.

Quand vint le tour des Téa Sisters, elles donnèrent le maximum, mais le niveau technique des autres danseuses était très élevé et les filles eurent bientôt le souffle court.

–Heureusement… pouf… pouf… qu'on est là pour enquêter… haleta Pam. J'ai l'impression d'être un moteur qui s'emballe !

* La glissade est généralement un pas de préparation pour une figure plus compliquée ou pour un saut.

Violet et Colette tenaient BON, mais lorsqu'arriva le moment des grands sauts, elles sentirent leurs jambes trembler sous l'effort.

De son côté, Carlotta se distinguait par sa grâce, son agilité et son maintien. Dans tous les groupes, c'était elle la meilleure, si bien que les autres danseuses se mirent à la regarder dans le miroir, étudiant chacun de ses mouvements.

Les danseuses de l'agence, en particulier, la scrutaient de loin, renfrognées.

Natalya était fière, comme si ç'avait été l'une de ses élèves : quand le talent et la passion sont au rendez-vous, on reconnaît une vraie danseuse !

Ratetti, lui aussi, avait commencé à observer Carlotta avec attention. Peut-être était-il en train de changer d'avis sur cette danseuse qui s'était faite toute seule ?

Soudain, un murmure d'admiration s'éleva dans la salle :

–OOOOHHHH !

Carlotta venait d'effectuer un saut qui compor-

tait une rotation du buste et un battement des jambes en l'air, atterrissant ensuite avec une extrême légèreté.

Toute la salle resta bouche bée.

– Quel magnifique *jeté entrelacé** ! laissa **ÉCHAPPER** à haute voix Olga Kachoskaïa.

Puis elle mit sa main devant sa bouche : elle devait soutenir les candidats de l'agence et ne pouvait pas faire de compliments à une danseuse rivale !

Mais ce pas exigeait une très grande maîtrise et

* Une des variations du pas appelé *jeté*.

toutes les *danseuses* n'étaient pas capables de l'exécuter avec autant de grâce.

Ratetti lui-même avait été impressionné.

Natalya saisit l'occasion pour s'APPROCHER de lui.

– Il semble que votre opinion sur cette jeune fille n'était pas justifiée… Qu'en dites-vous ? le taquina-t-elle.

Ratetti la regarda d'un air revêche et lui répondit sèchement :

– Nous verrons cela demain, madame !

Puis il **sortit** sa montre pour la millionième fois et ajouta :

– Je vous rappelle que nous commencerons à 9 heures précises : vous savez que je ne tolère pas les retards !

Puis il lui tourna les talons et sortit en **BOMBant** le torse. Alors Ricardo Mus fit un signe à Maurice Le Bars, qui, à son tour, échangea avec Gerbille un signal convenu : à l'évidence, ces trois-là préparaient quelque chose de LOUCHE…

CE N'EST PAS LA BONNE DANSEUSE

Les danseuses passèrent à la dernière phase de la répétition : les portés.

Pour cet exercice, les garçons formèrent trois rangées de six au centre de la salle tandis que les *filles* formaient une longue file qui se séparait en groupes successifs.

Chaque danseuse s'avançait avec de petits **BONDS** jusqu'à un cavalier qui, la prenant par la taille, la soulevait pour lui permettre d'exécuter un saut.

Après quoi il la reposait *délicatement* sur le sol.

Gerbille ne quittait pas Carlotta des **YEUX**.

Le Bars lui avait dit de se débrouiller pour former un couple avec elle à un moment ou à un autre, et c'était là sans doute la meilleure occasion : il lui suffirait de se DÉSÉQUILIBRER un peu pour faire redescendre la danseuse plus brusquement que prévu. Avec une cheville foulée, Carlotta ne serait plus un danger pour les danseuses de l'agence !

Les jeunes filles commencèrent à DÉFILER devant leurs cavaliers : lorsqu'elles étaient en l'air, elles avaient l'air aussi légères que des papillons !

Carlotta se préparait à exécuter son saut et était très concentrée. Son tour allait arriver lorsque la jeune fille s'aperçut que le RUBAN d'un de ses chaussons s'était défait. Elle demanda donc à Colette de prendre sa place.

Les deux filles se ressem-blaient tellement que Gaspard ne s'aperçut pas de l'échange.

Voyant s'avancer une jeune fille blonde avec

une longue tresse, il poussa ses camarades pour se mettre au premier rang et la porter lorsqu'elle arriverait.

Colette sauta avec grâce et se retrouva devant Gerbille, à qui elle tournait le dos. Le garçon la saisit par la taille, la souleva en l'air comme une plume et la reposa sur le sol... comme si c'était un roc !

– Aïe ! cria Colette, tandis que Gerbille faisait semblant d'avoir perdu l'équilibre et la laissait TOMBER à terre.

Aussitôt, ses amies et Natalya accoururent à son secours, mais, hélas, le MAL était fait : la fine cheville de Colette était déjà enflée... pour elle, le concours s'arrêtait là !

– OH ! Je suis désolé... s'excusa Gaspard, élevant

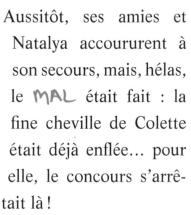

la voix pour que tout le monde entende bien. Mais, une seconde plus tard, il vit Carlotta accourir avec les autres et il comprit qu'il n'avait pas BLESSÉ… la bonne danseuse !

–M-mais… m-mais tu n'es pas… bredouilla-t-il, soudain blême.

En entendant ces mots, les Téa Sisters le regardèrent, stupéfaites. Aussitôt, les jurés COmPLiCes de l'agence se dépêchèrent de faire taire le danseur. Ils étaient irrités à cause de son erreur, mais encore plus inquiets à l'idée que leur plan risquait d'être DÉVOILÉ.

–Appelez tout de suite le médecin ! ordonna Mlle Kachoskaïa. La répétition est suspendue.

Les Téa Sisters se réunirent dans leur loge et essayèrent de remonter le moral de Colette.

–Ce Gerbille l'a fait exprès, j'en suis sûre ! GROGNA Paulina, furieuse. Il voulait à tout prix éliminer Carlotta du concours et il t'a prise pour elle !

–Voyons le bon côté des choses, Coco, soupira

Paméla. Au moins, tu vas pouvoir te *reposer* un peu…

–Et si tu te ménages, tu pourras tout de même participer au spectacle de clôture, ajouta Violet.

Natalya entra comme une **FURIE** et se précipita vers Colette, dont elle observa la cheville.

–C'est inouï! J'ai déposé une protestation officielle, mais nous ne pouvons hélas pas prouver que ce n'était pas un *accident*, regretta-t-elle, tout en massant la cheville douloureuse de Colette.

La jeune fille était *émue* de toutes ces attentions, mais ce qui la consolait vraiment, c'était de penser que Carlotta était saine et sauve et qu'elle pouvait encore réaliser son RÊVE !

– Vous verrez, dans quelques jours, je ferai de nouveau des pointes, dit-elle avec un clin d'œil. En attendant, j'aurai plus de temps à consacrer à notre enquête !

PREMIÈRE ÉPREUVE !

Le lendemain commencèrent les épreuves *officielles* du concours. L'atmosphère était tendue et les visages étaient graves : tous les danseurs se concentraient avant d'entrer en scène.

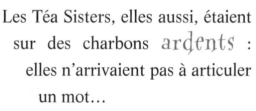

Les Téa Sisters, elles aussi, étaient sur des charbons ardents : elles n'arrivaient pas à articuler un mot…

Pam elle-même resta silencieuse pendant tout l'*ÉCHAUFFEMENT* !

Colette, assise près de la porte avec la cheville bandée, était la seule à se montrer sereine.

Elle salua ses amies avec un petit sourire, leur adressant un **CLIN D'ŒIL** pour les encourager avant l'épreuve.

Brusquement, le silence le plus **absolu** gagna la salle : les six jurés entrèrent et se dirigèrent vers une longue table. Ratetti fermait la marche, contrôlant l'heure sur sa montre, d'un air impassible et SÉVÈRE. À 9 heures précises, il fit un signe de la tête à Marthe Fledermaus, la jurée autrichienne, qui, lisant une fiche sur laquelle étaient inscrits les noms des candidats, se mit à appeler les *danseurs*.

Comme prévu par le tirage au sort, les cinq de Mice for Dance furent les premiers convoqués.

Gaspard Gerbille se plaça au centre de la salle, attendit, immobile, les premiers accords du **PIANO** et commença son exhibition, sous le regard critique de tous les autres jeunes gens. Il avait un physique fort et **MUSCLÉ**, qui lui permettait de faire des sauts énergiques, mais son maintien était un peu lourdaud, mal contrôlé, et sa prestation fut à peine suffisante.

Évidemment, les jurés complices de l'agence firent tout leur possible pour influencer leurs collègues. Ricardo Mus chuchota tout le temps à l'oreille de Ratetti, chantant les louanges de son protégé :

– Quel style, quelle puissance expressive ! disait-il d'une voix profonde.

Ratetti acquiesça, mais son expression resta impénétrable.

Inutile de le préciser, les suffrages allèrent tous à Gaspard et aux quatre autres danseurs de l'agence, grâce aux notes **exagérées** données par Le Bars, Mus et Kachoskaïa.

Cependant, durant le passage des autres danseurs, les **commentaires** des trois jurés ne furent guère positifs : à les entendre, la moindre imperfection était une offense à la pureté de la danse !

Leurs votes conditionnèrent **lourdement** le classement final et, hélas, des Téa Sisters, seule Violet réussit à passer le premier tour.

Ses amies étaient enthousiastes et firent aussitôt cercle autour d'elle pour la *complimenter*.

– Tu as été géniale, Vivi ! dit Nicky en l'embrassant.

– Je dois remercier Sir Mouse, se défendit-elle. Si je suis passée, c'est grâce à sa note généreuse ! C'est vraiment **DOMMAGE** que nous ne soyons plus toutes dans la course, demain...

– C'est vrai, reconnut Pam. Mais je t'avoue que je suis presque **CONTENTE** : je ne sais pas si j'aurais tenu une journée de plus à ce **rythme** !

À ce moment, Mme Fledermaus s'éclaircit la voix et appela la danseuse suivante :

— Carlotta Sourignani, c'est à vous !

JUSTICE
EST FAITE !

Le moment tant attendu était arrivé : Carlotta sentait tous les yeux posés sur elle, tandis qu'elle avançait le cœur battant jusqu'au centre de la salle.

Combien de fois, enfant, s'était-elle cachée pour admirer les danseurs de la Scala qui répétaient sans trêve ? Et cette fois, la danseuse dont l'image se reflétait dans les miroirs, c'était elle !

Lorsque les premières notes de piano résonnèrent, les mouvements qu'elle avait répétés dix, cent, mille fois prirent forme avec grâce et FLUIDITÉ. Tous la regardaient, enchantés. Sa façon de danser avait vraiment quelque chose de spécial…

Ricardo Mus, fâché, se remit aussitôt à chuchoter à l'oreille de Ratetti, pour le distraire :

–Comme c'est négligé, comme c'est LOURDAUD !
marmonna-t-il avec suffisance. Elle est peut-être
un peu JEUNE, pas mauvaise dans les sauts,
mais…
–Taisez-vous, s'il vous plaît ! lui dit Ratetti d'un
ton glaçant.

Le vieux chorégraphe ne perdait pas un mouvement de Carlotta et, pendant quelques instants,
son visage perpétuellement renfrogné s'*adoucit* en
ce qui pouvait ressembler à… un sourire !

Les jurés complices de l'agence échangèrent un
REGARD plein d'appréhension. Leur plan initial
était d'influencer Ratetti mais, en voyant la tournure que prenaient les choses, ils ne pouvaient
plus compter que sur eux-mêmes pour exclure
la danseuse de la compétition.

Lorsque Carlotta eut terminé, saluant avec la grâce
d'un cygne, les autres concurrents APPLAU-
DIRENT spontanément et les trois jurés impar-
tiaux sourirent, en acquiesçant vigoureusement.

Ils lui donnèrent des notes généreuses, mais les

jurés **COMPLICES** de l'agence émirent un verdict très tiède.

Un murmure de **DÉCEPTION** se fit entendre dans la salle.

– Mais alors… murmura Paulina, qui fit un rapide calcul, Carlotta va être éliminée !

Les Téa Sisters frémissaient d'indignation : c'était une **INJUSTICE** caractérisée !

– Une seconde !

La voix de Ratetti s'éleva, **FORTE** et claire :

– Le vote qui vient d'avoir lieu ne rend absolument pas justice à cette prestation.

Le vieux chorégraphe se leva et regarda sévèrement les trois jurés qui avaient donné à Carlotta une note très basse.

– En ma qualité de président du jury, mon vote compte double, poursuivit-il. Et j'entends donner à cette jeune danseuse la note maximale, afin que son talent soit officiellement récompensé et qu'elle puisse continuer l'épreuve !

– **HOURRA !**

Cette déclaration fut accueillie par une véritable ovation.

Les Téa Sisters **COURURENT** féliciter Carlotta, qui n'arrivait pas à croire à ce qui venait de se passer. Le Bars intercepta le **REGARD** de Ricardo Mus et d'Olga Kachoskaïa et décida d'intervenir.

Discrètement, il fit signe à Gaspard Gerbille de s'**APPROCHER** et murmura :

– J'ai à te parler.

Un indice important

Après que tous les danseurs furent passés, Mme Fledermaus déclara que la première journée du concours était terminée.

Le groupe de Natalya se retrouva dans le couloir pour fêter Violet, Carlotta et les deux cousins. En effet, Piotr et Vassili venaient de se produire avec succès, malgré les notes **injustement** basses des trois jurés corrompus de l'agence.

–Tu sais, cousin, murmura Vassili à Piotr en lui donnant une tape sur l'épaule, je dois reconnaître que, malgré tout,

quand tu danses, tu n'as vraiment rien d'une cancoillotte MOISIE.

Piotr esquissa un sourire.

– Ouais, ben merci, cousin : toi aussi, tu n'es pas mauvais, tu sais !

– Vous avez vu ce favoritisme scandaleux ? commenta Paulina. HEUREUSEMENT ✳ que Ratetti s'est opposé à l'élimination de Carlotta. Nous pouvons peut-être retirer son nom de la liste des suspects !

Violet acquiesça, pensive, et ajouta :

– Il semble que Sir Mouse, Fledermaus et Sasaku ne fassent pas partie du COMPLOT. Leurs notes ont toujours été les plus honnêtes.

– Vous pensez que les autres vont également intervenir lors des prochaines épreuves ? demanda Carlotta, inquiète.

LES JURÉS HONNÊTES

MARTHE FLEDERMAUS

KOÏCHI SASAKU

SIR JEOFFREY MOUSE

–Je connais peut-être quelqu'un qui pourrait nous le dire… répondit Colette avec un SOURIRE rusé. Elle regarda autour d'elle, puis s'éloigna du groupe, en **BOITANT** légèrement.

–Attendez-moi ici, je reviens tout de suite !

Les autres la suivirent du regard, tandis qu'elle se DIRIGEAIT vers Gaspard Gerbille et attirait son attention.

Il se retourna et, dès qu'il la reconnut, écarquilla les yeux et rougit jusqu'à la pointe du nez.

–Mais VOYEZ-vous cela ? commenta Pam. Enfin quelqu'un qui ne sait pas résister au *charme* de notre Colette !

Tous deux chuchotèrent un moment, puis le danseur lui fit un baisemain et Colette revint vers ses amies, rayonnante.

LES JURÉS CORROMPUS

RICARDO MUS

OLGA KACHOSKAÏA

MAURICE LE BARS

ENRICO RATETTI

???

–Incroyable ! dit Paulina. Tu as réussi à lui faire perdre ses airs de super-frimeur. Mais que lui as-tu dit ?!

–Oh, rien ! Un compliment a suffi, et il a **fondu** comme neige au soleil !

Paulina et Pam éclatèrent de rire.

–Hélas, soupira Colette, Gerbille ne m'a rien révélé sur les plans de l'agence. Il a préféré me raconter ce qu'il fera lorsqu'il sera *danseur* étoile à l'Opéra de Paris !

–Comme si c'était facile d'y entrer ! soupira Vassili.

–Mais lui, il est **CERTAIN** qu'il aura le poste, vous comprenez? continua Colette. À cent pour cent! Apparemment, Le Bars lui a donné rendez-vous ce soir pour lui faire la proposition officielle...
–Impossible! s'exclama Natalya. On ne nomme jamais un danseur étoile de cette façon : la communauté internationale n'accepterait jamais, au grand jamais, une telle *magouille*!
Violet résuma ce qu'ils pensaient tous :
–Si nous parvenions à enregistrer la conversation entre ces deux-là, nous aurions une preuve décisive pour coincer les jurés CORROMPUS!

 Colette a réussi à obtenir de Gerbille des informations sur son rendez-vous secret avec Le Bars... Le chorégraphe se prépare-t-il vraiment à lui faire une proposition de travail?

DiVisés
EN DEUX

Le soir, les filles et les deux cousins se retrouvèrent dans le hall de l'hôtel, après avoir pris une bonne *douche* et un peu de repos.

Les Téa Sisters avaient réfléchi à un plan : elles allaient suivre Gerbille en douce jusqu'au lieu de son rendez-vous, afin d'enregistrer sa conversation avec Le Bars.

Paulina brandit son caméscope.

–Nous ne le perdrons pas de vue : si tout se passe bien, nous pourrons les filmer et les coincer tous les deux.

–Enfin un peu d'*ACTION* ! s'exclama Vassili, qui s'approcha ensuite brusquement de Violet. Ne t'**inquiète** pas, je resterai toujours près de toi, comme ça, si tu as besoin d'aide…

Piotr, rapide comme l'éclair, s'interposa entre son cousin et la jeune fille.

–Ne te dérange pas, dit-il, très sérieux. Violet est ma partenaire pour le *pas de deux*, il est normal que ce soit moi qui m'occupe d'elle !

Après la première épreuve, les deux rivaux paraissaient avoir conclu la paix sur scène, mais ils n'en étaient pas encore là en amour !

Mais cette fois, Violet les prit à contre-pied :

–Maintenant, ça SUFFIT ! s'exclama-t-elle, exaspérée. Vous savez, pour me tirer d'affaire, je n'ai

vraiment pas besoin de deux cavaliers qui passent leur temps à se chamailler ! D'ailleurs, en cas de problème, il y a mes amies : les Téa Sisters !

– Bien dit, ma sœur ! approuva aussitôt Pam.

Une voix JOYEUSE, dans leur dos, intervint alors :

– Vous deux, les têtes de cochon, vous n'irez nulle part, ce soir !

Les garçons se retournèrent, INTRIGUÉS.

C'était Natalya, qui arrivait juste avec Carlotta.

– Demain, ce sera une journée très FATIGANTE pour vous et pour vos partenaires, poursuivit l'enseignante. Carlotta prendra la place de Colette, et, tous les quatre, vous n'êtes pas encore parfaitement au point pour le *pas de deux* : il faut que vous répétiez en duo si vous voulez avoir une chance de GAGNER.

– Ma mère a réussi à convaincre le concierge, ajouta Carlotta, heureuse de pouvoir aider ses nouveaux amis, qui avaient tant fait pour elle. Nous allons pouvoir répéter jusque tard dans la nuit. Mais pas n'importe où... sur la scène du théâtre !

Violet et les deux cousins étaient au septième ciel.

– WAOUH ! s'exclamèrent-ils, très émus. Ça, c'est un honneur !

Puis le groupe se divisa : Carlotta, Violet et les deux cousins RETOURNÈRENT s'entraîner à la Scala, Colette se retira dans sa chambre pour que sa cheville soit au repos, tandis que Pam, Nicky et Paulina se préparèrent à suivre Gerbille.

La chasse avait commencé !

RENCONTRE SECRÈTE... AVEC SURPRISE !

Peu après le dîner, Gerbille sortit du théâtre et partit d'un bon pas, en sifflotant, dans les **RUES** de la ville.

Les Téa Sisters étaient prêtes à le suivre dans tout Milan, s'il le fallait, mais le parcours se révéla beaucoup plus bref que prévu.

Gaspard se dirigea d'abord vers la cathédrale, puis s'engagea dans une rue large et très *fréquentée*. Les filles regardaient dans tous les sens, gênées par la foule. Elles allaient le perdre de vue !

HEUREUSEMENT, au bout de quelques minutes, Nicky le vit qui franchissait une grande porte cochère.

– Le voilà ! s'exclama-t-elle, tout excitée.

Les filles le **SUIVIRENT** prudemment : peut-être allait-il entrer dans un appartement… Dans ce cas, il serait impossible de le **FILMER** !

Une surprise les attendait : elles se retrouvèrent sur une place déserte, fermée de tous les côtés. Il y régnait une atmosphère irréelle.

–Cet endroit est incroyable, murmura Pam. On dirait un morceau de Moyen Âge tombé directement dans notre siècle !

Paulina feuilleta son guide de Milan.

—Nous sommes sur la place des Marchands, l'ancien coeur commercial de la ville ; c'est là que les riches commerçants traitaient leurs affaires et arrangeaient des transactions secrètes.

Nicky jeta un regard circulaire.

—Attention, il ne faut pas se laisser distraire, dit-elle. Je ne VOIS plus Gerbille !

En effet, le garçon avait disparu sous les portiques, entre les colonnes de la Loge des Marchands.

Les filles regardèrent précautionneusement autour d'elles, puis elles entendirent des pas qui s'éloignaient. Au bout d'un moment, elles aperçurent le danseur : il était en train de comploter

avec un type de petite taille, qui portait un chapeau à larges bords et un imperméable noir…

Nicky sursauta.

—Je ne le crois pas ! Vous avez vu ce TYPE ?! C'est celui qui nous a suivis tout l'après-midi le premier jour !

–Vous pensez la même chose que moi? demanda Paulina, en faisant un clin d'œil aux autres. Ses amies acquiescèrent, en clignant de l'œil à leur tour.

QUE DIRIEZ-VOUS DE FAIRE LE POINT SUR LA SITUATION ?

–L'agence Mice for Dance truque les concours pour faire gagner ses danseurs.
–Il y a au moins trois jurés liés à l'agence infiltrés dans le jury du concours de la Scala.
–Ces trois jurés font tout leur possible pour éliminer les meilleurs danseurs.
–Les Téa Sisters et Carlotta sont tout le temps suivies par un mystérieux observateur.
–L'accident de Gerbille avec Colette semble faire partie du plan de l'agence.
–Le Bars fixe un rendez-vous à Gerbille, peut-être pour lui promettre un poste prestigieux.
–Gerbille rencontre le type mystérieux qui a suivi les Téa Sisters...

LA LOGE
DES FILOUS

Ainsi, tout était clair : le personnage qui avait suivi les Téa Sisters, c'était... Maurice Le Bars !

– Si seulement nous pouvions entendre ce qu'ils se racontent, dit Paulina, en désignant les deux conspirateurs qui chuchotaient derrière les colonnes de l'ancienne loge.

Petit à petit, les filles essayèrent de gagner encore quelques mètres, mais, à chaque pas, elles risquaient d'être DÉCOUVERTES.

Pam arrêta ses amies en tendant le bras :

– Nous ne pouvons pas nous approcher davantage, ils nous verraient.

Nicky, DÉÇUE, s'appuya contre l'une des colonnes, et c'est alors qu'il se passa quelque chose d'incroyable : à ses oreilles parvint... la

voix de Le Bars ! Les mots prononcés par le juré **FRANÇAIS** retentissaient clairs et nets :

– … Ratetti est imprévisible, et c'est pourquoi il ne faut plus commettre d'ERREUR : nous devons nous débarrasser de cette Carlotta Sourignani, compris ?!

Nicky fit **signe** à ses amies.

– Vite, approchez !

Elles prirent à **tour** de rôle la place de Nicky.

Incroyable ! Près de l'une des colonnes, on entendait distinctement la voix du chorégraphe, qui se trouvait pourtant à plusieurs mètres de là ! C'était vraiment bizarre ! Mais comment était-ce possible ?!

– Je me rappelle ! murmura Paulina, et elle expliqua

cet étrange phénomène à ses amies. C'était *écrit* dans le guide de Milan : les arcades de la loge ont été construites de manière à transmettre les sons !

–C'était sûrement un TRUC très commode qu'utilisaient les marchands de l'époque pour traiter leurs affaires en cachette ! observa Pam.

–Et pour démasquer les bavards imprudents ! HÉ, HÉ, HÉ ! ajouta Nicky.

Les Téa Sisters purent ainsi suivre toute la conversation entre Le Bars et Gerbille. Le juré n'avait pas fait venir le garçon pour lui offrir un poste de danseur étoile, mais pour lui ordonner d'éliminer Carlotta.

–Peu importe la façon dont tu t'y prends, siffla Le Bars. Demain, il ne faut pas qu'elle arrive à l'heure !

–Mais je ne pourrai la RETENIR que quelques minutes, pas plus… objecta Gaspard, que cette demande semblait mettre mal à l'aise.

–Ne t'inquiète pas, répondit Le Bars. Il suffit de cinq minutes de retard pour être ÉLIMINÉ du

concours. Nous veillerons à ce que la montre de Ratetti marque l'heure «juste» ! HI, HI, HI !

Les filles durent se retenir pour ne pas intervenir sur-le-champ. Quelle bande de *filous* !

Un nouvel allié

Pendant ce temps, au théâtre, Natalya et les danseurs continuaient de répéter sans répit.

– Non, Piotr, pas comme ça ! s'*exclamait* le professeur. Là, tu es en avance sur Violet !

Sur scène, les garçons, épuisés, étaient en sueur, mais ils ne comptaient pas s'arrêter avant d'avoir perfectionné le moindre de leurs mouvements.

– Allez, dit Violet, en SOURIANT à son partenaire. On recommence !

Le garçon baissa la tête, fourbu.

– Je suis désolé, mais je n'arrive pas à me fourrer ça dans la tête !

À ces mots, son cousin se remit à le taquiner :

– C'est parce que ta tête est remplie d'IDÉES bizarres. Essaie de la vider, tu verras le résultat !

Piotr leva les yeux, **vexé**, mais il comprit le véritable but de cette provocation : le faire réagir dans un moment de crise. En fin de compte, les deux cousins s'aimaient bien !

–Voilà, poursuivit Vassili en le prenant par la main. Essaie avec moi : un-deux-trois…

Les garçons exécutèrent les MOUVEMENTS ensemble, comme s'ils n'avaient qu'un seul cœur battant au même rythme. Quel spectacle !

Natalya les **observait** fièrement, tandis que Violet et Carlotta échangeaient un regard

complice : les cousins passaient peut-être leur temps à se quereller, mais ils étaient unis comme des frères par leur talent et par leur *amour* de la danse !

Violet soupira et entendit la voix de Carlotta à côté d'elle :

– C'est *émouvant*, n'est-ce pas ?

– De tels moments te dédommagent de tous tes sacrifices, reconnut Violet.

Son amie *RIT*, joyeuse :

– Parfois, le soir, j'ai les jambes douloureuses ou la pointe des pieds qui se révolte, mais je n'échangerais ces sensations contre rien au monde !

– Et vous faites bien, mademoiselle !

La voix reconnaissable entre toutes de Ratetti s'était élevée dans l'**ombre** du parterre, et cela glaça les danseurs sur la scène.

Le **vieux** chorégraphe s'attardait souvent dans le théâtre après la fermeture : c'était sa maison depuis tant d'années et il ne se sentait bien que là.

Natalya s'avança vers lui, craignant que le juré sévère ne veuille les chasser, mais il la rassura :

– Je vous ai longuement **OBSERVÉS**, en silence, de l'endroit où je me trouvais. Si je me suis manifesté, c'est parce que je voulais vous dire quelque chose.

Il s'approcha lentement de la scène, jusqu'à ce qu'il se trouve le plus près de Carlotta.

– Je vous dois des excuses, *mademoiselle*, dit-il en souriant. En vous voyant répéter, vous et vos amis, avec une telle passion, j'ai compris que mes idées étaient **DÉPASSÉES**.

Carlotta, timide, baissa les yeux et rougit. Violet **SOURIT** : peut-être avaient-ils trouvé un nouvel allié contre l'agence !

PLAN B

Violet chercha du regard l'approbation de Natalya. Celle-ci acquiesça : le moment était venu de comprendre si le vieux *chorégraphe* était de leur côté.

Ratetti s'approcha de l'enseignante et se baissa pour la saluer avec un *élégant* baisemain. Puis il sourit et dit :

– Je l'admets, chère Natalya. C'est vous qui aviez raison ! Il *félicita* ses deux élèves et, enfin, s'approcha de Violet.

– C'est vous, mademoiselle, qui avez été la première à mettre ma parole en doute sur cette scène, remarqua-t-il. Et avec une grande force de conviction ! Cela m'a **FRAPPÉ** !

Violet s'efforça de surmonter son **EMBARRAS** : Ratetti devait savoir ce qui se passait dans son théâtre !

– Je vous remercie, maître, commença-t-elle. Mais il y a quelque chose de très **IMPORTANT** que vous devez savoir.

Avec l'aide de Natalya et Carlotta, Violet raconta tout ce qui s'était produit depuis qu'elles avaient atterri à Milan. La conversation **ENTEN-DUE** le premier jour, le tirage au sort truqué, l'interdiction de répéter dans le théâtre et tous les stratagèmes imaginés par les trois jurés de l'agence.

– Voilà pourquoi Ricardo ne cessait de jacasser à mon oreille ! commenta enfin Ratetti, **outré**. Je n'arrive pas à croire qu'ils aient manigancé tout cela !

– Le complot de l'agence ne se limite pas à ce concours, ajouta Natalya. L'agence Mice for

Dance TRUQUÉ tous les principaux concours internationaux !

Ratetti était scandalisé :

– Je ne laisserai pas ces imposteurs triompher dans cette maison ! explosa-t-il. Pas à la Scala de Milan !

– Bien parlé, chef ! approuva une nouvelle voix venant du parterre. Euh, enfin… monsieur le directeur !

C'était Pam, suivie de Colette, Paulina et Nicky.

Les fiffes étaient retournées à l'hôtel avec d'importantes nouvelles et, avec Colette, avaient décidé de rejoindre leurs amis au théâtre pour leur faire part de ces informations.

Il fallait rapidement mettre une STRATÉGIE au point !

Elles rapportèrent la conversation qu'elles avaient surprise entre Le

Bars et Gerbille, et du plan pour éliminer Carlotta de la compétition.

– Hélas, nous n'avons pas réussi à nous approcher suffisamment pour les filmer, et c'est pourquoi nous n'avons pas encore de preuves utilisables ! commença Paulina.

– Mais nous avons un plan ! conclut Nicky.

Colette écarta les bras, comme pour réunir dans un seul geste tous les membres du groupe.

– Si chacun de nous apporte une petite aide, demain, nous pourrons prendre les jurés CORROMPUS la main dans le sac !

Tous se tournèrent vers Ratetti, impatients de connaître sa position. Le vieux chorégraphe acquiesça, combatif :

– Je suis avec vous !

ÉLIMINATION
SURPRISE

Le lendemain matin, les Téa Sisters se retrouvèrent avec les autres dans la salle de répétition
du théâtre pour la deuxième épreuve du concours.
Nicky, Pam, Paulina et Colette avaient été
ÉLIMINÉES, mais elles étaient là pour encourager Violet, qui était encore plus émue que la
veille !

– Nous n'avons pas assez répété ! se plaignait-elle,
EMBROUILLANT les rubans de ses chaussons en
essayant de les **NOUER**.

– Tu vas être fantastique, Vivi, la rassura **DOUCE-
MENT** Paulina, arrangeant les rubans en moins de
temps qu'il n'en faut pour le dire. Nous sommes
toutes avec toi !

En réalité, pas toutes… il manquait une Téa Sister à l'appel : où était passée Colette ?

Au même moment, Ratetti entra dans la salle, suivi par les autres jurés.

L'AUSTÈRE chorégraphe sourit à Natalya et fit un CLIN D'ŒIL aux deux cousins. C'était le signal convenu : tout était prêt pour la mise en œuvre du plan imaginé par les Téa Sisters pour COINCER les jurés corrompus. Et l'absence de Colette faisait partie du programme !

Entre-temps, les trois jurés de l'agence s'étaient **confortablement** assis à leur place : eux aussi avaient un plan, qui prévoyait l'élimination de Carlotta !

Gerbille semblait plus **nerveux** que jamais.

Il ne cessait d'arranger ses cheveux devant le **MIROIR** et jetait des regards apeurés en direction de la table du jury.

Le Bars lui sourit d'un air complice pour le rassurer, mais cela ne servit qu'à l'agiter davantage encore !

– Ça me fait de la peine pour lui, murmura Nicky à ses amies en regardant le **jeune** danseur se préparer. Si ça se trouve, ils lui ont promis les honneurs et la **gloire**, mais, pour le moment, c'est surtout son talent qui en souffre.

Pam acquiesça et ajouta, ironique :

– C'est vrai ! On ne peut pas être en même temps danseur et **CRAPULE** : ce sont deux métiers incompatibles !

L'épreuve commença enfin et le premier à passer fut justement Gerbille.

Comme toujours, ses **MOUVEMENTS** furent **ÉNERGIQUES**, mais le programme de soliste révéla bientôt ses limites. Le talent est un don qu'il faut *perfectionner* par un travail et des exercices continuels, et c'est exactement ce que le garçon n'avait pas eu le temps de faire depuis qu'il avait été engagé par Mice for Dance !

Le verdict de Ratetti fut très sévère :

– Il vous manque les qualités du *danseur noble**, mon cher garçon. Je vous conseille de retourner

* Danseur qui parvient à exprimer, à travers son corps, la maîtrise de soi, la grâce et le raffinement.

étudier pour AFFINER votre talent, avant de vous présenter de nouveau. À mon avis, votre prestation d'aujourd'hui n'est pas à la hauteur de ce concours.

Les autres jurés appuyèrent l'opinion du directeur et les protestations de Le Bars, Mus et Kachoskaïa furent vaines : malgré le soutien de l'agence, Gerbille était ~~ÉLIMINÉ~~ !

PRISONNIÈRE !

L'épreuve masculine se conclut avec le triomphe de Piotr et Vassili, qui ARRIVÈRENT premiers du classement, à quelques points de **DISTANCE** l'un de l'autre.

Dans son coin, Gerbille, vert de rage, leur jetait des regards par en dessous. Son élimination avait été un coup dur pour lui, mais il conservait l'*espoir* de se venger, en menant à bien le plan de Le Bars. S'il n'avait pas réussi à *battre* ces deux danseurs, au moins pourrait-il contribuer à éliminer leur amie Carlotta !

De leur côté, les trois jurés de l'agence s'*agitaient* sur leur chaise :

ils avaient déjà perdu le premier prix pour la sélection masculine et ils ne voulaient pas le perdre également pour la sélection féminine !

Cependant, le programme du concours se déroulait comme prévu : après les danseuses de Mice for Dance, qui, comme d'habitude, furent **favorisées**, ce fut enfin le tour de Violet.

Hélas, les répétitions acharnées des jours précédents avaient mis à l'**épreuve** ses muscles peu entraînés et, bien qu'ils soient *gracieux* et précis, ses pas manquaient un peu de dynamisme. Un petit défaut, mais décisif dans une compétition internationale aussi prestigieuse !

–Je regrette, mademoiselle, dit enfin Ratetti. Le total de vos notes est insuffisant pour vous permettre de continuer, mais vous avez un grand TALENT et j'espère vous voir danser de nouveau, quand vous aurez perfectionné votre technique !

D'accord avec l'opinion de Ratetti, Sir Mouse, Sasaku et Mme Fledermaus acquiescèrent et

applaudirent même la jeune fille, qui rejoignit ses amis avec le cœur qui battait **FORT**, comme si elle avait gagné! Quant à Le Bars et Mus, ils échangèrent un sourire satisfait, et Olga Kachoskaïa commenta à voix basse :

– Une de moins!

Puis le chorégraphe **FRANÇAIS** fit un signe à Gerbille : la dernière partie du plan de l'agence pouvait commencer!

Gaspard s'approcha de Carlotta en faisant semblant d'être **NERVEUX**. Il la prit à part et lui murmura :

– Sourignani, c'est bien toi ? Ta mère t'attend dans ta loge, elle m'a demandé de te prévenir !

Carlotta savait que les intentions du *danseur* n'étaient pas honnêtes, mais elle suivit le plan de ses amies les Téa Sisters et fit comme si de rien n'était.

– Elle m'a dit que c'était **URGENT**, poursuivit-il. Viens, je t'accompagne !

Carlotta le suivit docilement. Tous deux sortirent de la salle et se dirigèrent vers les loges des danseurs. Ce n'était pas très loin, mais Carlotta, qui connaissait le théâtre comme sa poche, *ACCÉ-LÉRA* et distança bientôt Gerbille.

– Eh, attends ! *protesta*-t-il en voyant qu'elle s'éloignait d'un pas rapide.

– Ce n'était pas urgent ? plaisanta-t-elle, disparaissant à un tournant du couloir.

Le garçon dut *COURIR* pour la rattraper et tourna

au coin du couloir juste à temps pour voir la tresse
blonde de Carlotta qui DISPARAISSAIT dans une
loge.

«Tu es prise au piège!» pensa-t-il, triomphant, et
il se précipita pour fermer la porte à clé.

—Alors, tu es surprise, petite IDIOTE?! dit-il
assez fort pour que sa PRISONNIÈRE puisse
l'entendre. Ici, il n'y a que toi et moi, et je n'ai

LE PLAN DE GASPARD

pas l'intention de te libérer… avant qu'il ne soit **TROP** tard pour ta prestation ! Hé, hé, hé !

APRÈS AVOIR VU LA TRESSE DE CARLOTTA DISPARAÎTRE DANS UNE LOGE…

… GASPARD SE DÉPÊCHE DE FERMER LA PORTE À CLÉ…

… PUIS IL MONTE LA GARDE POUR EMPÊCHER QUE QUELQU'UN LIBÈRE LA PRISONNIÈRE !

LE DÉLAI
EST DÉPASSÉ!

Cependant, dans la salle de répétition, les exhibitions touchaient à leur terme.

Les épreuves *féminines* voyaient une nette domination des danseuses de Mice for Dance, mais les Téa Sisters n'avaient pas PEUR : les tricheries de l'agence allaient bientôt finir !

Mme Fledermaus se **leva** et appela le dernier nom sur la liste :

– Carlotta Sourignani !

Un silence inquiet descendit sur l'assistance, mais… personne ne s'avança.

Le Bars ricana : tout se passait comme prévu ! La montre de Ratetti était le dernier détail à régler, mais les trois escrocs avaient également pensé à cela.

Ricardo Mus s'approcha de Ratetti, pendant que le temps s'écoulait et que, dans la salle, s'élevaient des **murmures** inquiets.

– La jeune fille va venir, j'en suis sûr, dit-il. Mais si, par **malheur**, elle n'était pas là dans cinq minutes…

– Oh, quelle tragédie! intervint Olga Kachoskaïa, d'un air faussement alarmé. Dans ce cas, nous serions obligés de l'éliminer…

Ratetti garda son sérieux et sortit de sa poche sa *fidèle* montre.

– Bien, mesdames et messieurs, il est 12 h 40. Nous allons attendre jusqu'à 12 h 45, comme prévu dans le règlement!

C'était le geste que Le Bars attendait : il s'approcha de Ratetti et fit semblant de TRÉBUCHER pour pouvoir se rattraper à son bras.

– Je propo… Oups!

Surpris, Ratetti voulut le soutenir et laissa tomber sa précieuse montre.

– Oh, je suis désolé! s'excusa alors Le Bars,

mielleux, en se baissant pour ramasser la montre. Je vous en prie, je vais la ramasser !

D'un geste habile, avant de lui RENDRE sa montre, le vaurien fit avancer les aiguilles jusqu'à 12h44. Il ne restait plus qu'une minute avant que la concurrente la plus dangereuse pour l'agence ne soit éliminée !

Les autres jurés honnêtes, Sasaku, Sir Mouse et Mme Fledermaus, semblaient inquiets.

–Mademoiselle Sourignani ! C'est à vous ! ne cessait d'appeler Sasaku en observant la porte avec une anxiété croissante.

–**ME VOICI !** répondit soudain une voix claire, du fond de la salle.

C'était elle : Carlotta venait d'arriver !

Ricardo Mus *LANÇA* un regard noir à Le Bars et Olga Kachoskaïa se leva brusquement, sans pouvoir prononcer un mot.

Le chorégraphe **FRANÇAIS**, de son côté, était devenu plus blanc qu'un drap qu'on vient de laver : il avait d'ailleurs l'air tout froissé, comme s'il sortait du *TAMBOUR* d'un lave-linge !

–M-m-mais ce n'est pa-pa-pas po-po-po... bégaya-t-il.

Ratetti et les Téa Sisters, eux, savaient bien comment c'était possible : grâce aux informations recueillies à la Loge des Marchands, les plans de l'agence avaient été déjoués et Carlotta était là, prête à *danser* !

Mais le massif Ricardo Mus ne voulut pas s'avouer vaincu : il arracha la montre des mains de Ratetti et l'AGITA devant tout le monde.

–Le délai est dépassé ! GRONDA-t-il. Il est 12 h 45 passées, regardez vous-même !

En effet, la montre marquait désormais 12 h 46.

Ratetti observa alors Mus d'un air **IMPASSIBLE** et répliqua calmement :

–Oh, ma fidèle montre doit avoir reçu un coup en tombant par terre.

D'un geste théâtral, le vieux chorégraphe découvrit son poignet, exhibant une montre rose avec un **RAVISSANT** bracelet assorti (que lui avait prêtée Colette !).

—HEUREUSEMENT, j'avais prévu une montre de secours ! s'exclama-t-il, **TRIOMPHANT**.

Mus devint muet, Kachoskaïa se laissa retomber sur sa chaise et Le Bars se fit tout *petit petit* de honte.

—Il est 12h43, mademoiselle, conclut enfin Ratetti. S'il n'y a pas d'autres objections, vous pouvez commencer.

LE MYSTÈRE DÉVOILÉ

Les trois jurés malhonnêtes ayant été réduits au silence, Carlotta put enfin se produire dans l'épreuve individuelle.

La jeune fille dansa avec toute la **passion** dont elle était capable, dédiant en secret chacun de ses pas à toutes les personnes qui l'avaient aidée.

Sa prestation fut EXCELLENTE de bout en bout et la talentueuse danseuse obtint la note maximale.

Les juges corrompus lui donnèrent également une *bonne* note, pour écarter les soupçons.

Mais dès que Mme Fledermaus

eut déclaré que l'épreuve était terminée, les trois VAURIENS bondirent sur leurs pieds et sortirent au pas de *COURSE*, disparaissant dans les couloirs du théâtre.

Mus ne perdit pas de temps et se mit aussitôt à injurier Le Bars :

– Qu'as-tu manigancé, gros nigaud ?! Ne devais-tu pas nous débarrasser de cette *danseuse* italienne ?

Le chorégraphe français répliqua, irrité :

– J'en avais chargé ce benêt de Gerbille… Il va m'entendre !

Les trois comparses arrivèrent aux loges et virent Gaspard qui **BOMBAIT** le torse, montant toujours la garde devant une porte fermée.

– Qu'est-ce que tu fais là, espèce de grand dadais ? lui lança aussitôt Le Bars. Tu as laissé échapper la fille, tu n'es qu'un incompétent !

Gerbille le regarda, bouche bée, sans comprendre.

– M-mais qu'est-ce que tu racontes ? Je n'ai pas bougé d'ici : elle est restée là-dedans tout le temps !

– Tu n'avais que cela à faire ! reprit Olga Kachoskaïa. Nous, nous avons truqué les élections, nous avons donné des notes exagérées, nous t'avons fait obtenir des prix et des contrats prestigieux. Et toi ?! Toi, tu n'es même pas capable de garder une fillette enfermée pendant deux minutes dans une loge !

Gerbille se gratta la tête, perplexe. Il était sûr et certain d'avoir vu Carlotta entrer !

Mais il n'eut pas le temps de protester, car la vérité lui fut révélée d'une manière totalement inattendue :

– C'est bien simple : ce n'est pas moi qui suis là-dedans !

Les trois jurés et Gerbille se retournèrent brusquement et virent Carlotta qui s'avançait vers la porte, avec un passe à la main.

Derrière elle se pressait une foule de CURIEUX, à la tête de laquelle se trouvaient les autres jurés, Ratetti et les Téa Sisters. Les trois fripouilles s'étaient TRAHIES devant de nombreux témoins, ils ne pouvaient plus faire comme si de rien n'était !

Sous le regard ahuri de Le Bars et de ses complices, Carlotta ouvrit la porte et Colette apparut sur le seuil, SOURIANTE.

– Alors, je m'en suis bien sortie ?

Voilà où elle était passée ! Comptant sur sa ressemblance avec Carlotta, les Téa Sisters avaient concocté un plan INGÉNIEUX pour tromper les escrocs. Avec une coiffure et des vêtements identiques, il était impossible de distinguer les deux filles !

– Ce n'est pas moi que tu as enfermée dans cette loge, expliqua Carlotta à un Gerbille STUPÉFAIT.

Quand tu m'as perdue de vue, Colette a pris ma PLACE et tu ne t'es aperçu de rien : pendant que tu me suivais, Carlotta est retournée dans la salle du concours !

–Nous savions que tu ne te douterais de rien, ajouta Nicky. C'est déjà ce qui s'est passé hier, pendant la première épreuve !

Ratetti s'avança, regardant sévèrement les trois jurés CORROMPUS.

–Nous vous avons laissés mettre votre plan en œuvre pour vous coincer. Les escroqueries de Mice for Dance sont terminées.

SOIRÉE DE GALA !

La police mit les trois escrocs sous les verrous et les *danseurs* de Mice for Dance furent éliminés du concours. L'agence comptait de nombreux membres, partout dans le monde, mais ce scandale fut si retentissant qu'elle fut bientôt obligée de **FERMER**.

Hélas, la présence des jurés corrompus avait influencé le résultat des épreuves et les organisateurs durent **INVALIDER** le concours de la Scala. Ratetti et les trois jurés honnêtes invitèrent tous les participants dans le *foyer** du théâtre, pour leur expliquer les raisons de cette brusque **INTERRUPTION**.

–Il va nous falloir tout recommencer depuis le début, expliqua Ratetti, dont la déclaration fut accueillie par les *murmures* de soulagement de l'assistance. Mais cette fois, nous serons beaucoup plus vigilants sur la composition du jury!

Puis il fit un signe à Natalya, qui était assise au premier rang : elle le *REJOIGNIT*, sous les commentaires surpris du public.

–Et c'est avec fierté que je vous présente l'un des nouveaux jurés, dit-il en l'accueillant avec un *SOURIRE*. La célèbre Natalya Rattlova, grande étoile du ballet russe!

Piotr et Vassili se levèrent d'un même mouvement et *APPLAUDIRENT* à tout rompre.

Voici ce qui, malgré leurs différences, rapprochait les deux cousins : leur profond respect pour leur professeur Rattlova et… leur *amour* pour leur tante Natalya!

–Pour conclure, j'ai une nouvelle encore plus sensationnelle, poursuivit Ratetti.

Un silence **PLEIN** d'espoir gagna l'assistance.

– Pour compenser les erreurs qui ont été commises, nous avons décidé de vous offrir une occasion unique : le ballet de gala ne sera pas ~~annulé~~, au contraire ! Il se déroulera sur la grande scène du théâtre de la Scala de Milan et sera RETRANSMIS en direct et en mondovision !

Une ovation fit trembler les murs de la salle.

Les jours suivants furent fébriles, entre les pas à répéter, les costumes à essayer et les décors à monter : l'énorme MACHINERIE scénique de

la Scala entra en action ! Chaque danseur se vit confier un rôle et les Téa Sisters eurent l'honneur de danser avec les jeunes promesses de la danse internationale. Violet et Piotr dansèrent leur *pas de deux* et Colette elle-même parvint à retrouver la forme et à danser avec Vassili.

Mais la véritable surprise de la soirée fut Carlotta : l'exigeant public milanais la couvrit d'applaudissements et il y eut trois rappels ! Les Téa Sisters assistèrent à ce triomphe des coulisses du théâtre : une étoile était née !

UNE NOUVELLE SŒUR !

Après toutes ces émotions, le moment était enfin venu pour les Téa Sisters de rentrer à Raxford. Les participants du CONCOURS se réunirent dans le hall de l'hôtel pour les saluer et échanger adresses e-mail et numéros de téléphone. Carlotta et Natalya étaient là également, ainsi que… Ratetti en personne ! Le vieux chorégraphe les remercia encore pour leur aide et s'ATTRISTA :

–Dommage que vous ne puissiez rester pour le concours qui va recommencer. Je suis heureux d'avoir fait votre connaissance : vous êtes des jeunes filles spéciales !

Natalya les embrassa une à une, émue, puis leur dit :

–Saluez pour moi ma chère amie Mme Ratinsky : son cours de disciplines ARTISTIQUES donne d'excellents résultats, si j'en juge par votre TALENT !

Carlotta avait les larmes aux yeux.

–Les filles, vous êtes les meilleures amies du monde : sans vous, je n'y serais jamais arrivée !

–Tu plaisantes ! la rabroua gentiment Nicky. Tu es une danseuse née !

Colette l'embrassa dans un élan d'ENTHOU-SIASME.

–Pour nous, tu es comme une sœur, désormais !

Paulina insista :

–N'oublie pas de nous tenir informées du déroulement de ta carrière. Nous voulons tout savoir, étape par étape !

En effet, Ratetti avait promis à Carlotta de lui

faire passer une audition pour entrer dans le corps de ballet du théâtre de la Scala. QUELLE aUBaine !

Les deux cousins sortirent alors de l'ascenseur en courant, avec leur sac en bandoulière.

– OUF ! vous êtes toujours là ! commença Vassili. Nous aurions été désolés de ne pas pouvoir vous dire au revoir !

– Mais… vous partez aussi ? Vous ne restez pas pour le nouveau concours ? demanda Pam, surprise.

– Maintenant que tante Natalya fait partie du jury, nous ne pouvons plus participer au concours, expliqua Piotr. Je rentre chez moi, en Russie : il y a plein de choses à faire pour préparer la prochaine saison de *ballet*…

Vassili, lui, avait d'autres plans :

– Il y a mille concours dans le monde et autant de théâtres. Je meurs d'envie de les voir tous !

Puis il s'approcha de Violet et la REGARDA droit dans les yeux.

– J'espère avoir bientôt de tes nouvelles, lui dit-il. Tu pourras toujours compter sur mon amitié et…

Mais Piotr en avait suffisamment entendu et le coupa **BRUSQUEMENT** en attirant l'attention de la jeune fille :

—Et moi, je t'attends, n'oublie pas ! Viens me voir quand tu veux.

Les autres Téa Sisters, curieuses, retinrent leur **souffle** en attendant la réponse de leur amie, mais elle se contenta d'un sourire tranquille et de leur serrer la main, comme à deux **VIEUX** amis.

Plus tard, tandis qu'un **TAXI** conduisait les cinq jeunes filles à l'aéroport, Colette ne put se retenir :

—Alors, qui as-tu choisi ?

—Choisi ? répéta Violet, surprise.

– Oui, entre Vassili et Piotr ! ajouta Pam.

Elle aussi, comme les autres, avait le pelage qui se hérissait de CURIOSITÉ !

Violet rit et répondit, avec un air mystérieux :

– Qui sait…

Mais au fond de son cœur, elle savait que, pour le moment, elle n'avait fait qu'un seul choix : elle les avait choisies elles, ses fantasouristiques amies !

Mieux que des amies. Des sœurs !

Téa Sisters

DANSE, la passion !

La danse est un art antique, appartenant au monde du théâtre :
elle parvient à susciter des émotions uniques, par l'union de la
musique et des mouvements du corps.
Pour communiquer avec le public à travers la danse, il faut du talent,
mais aussi beaucoup d'entraînement et de rigueur. Les grands danseurs
affinent leur technique par des années de sacrifice, de discipline
et de travail : c'est une activité qui demande beaucoup à ceux qui
s'y consacrent, mais qui leur apporte d'immenses satisfactions !

Il existe plusieurs styles de danse, qu'une danseuse doit connaître pour choisir celui qui correspond le mieux à sa sensibilité. Voici les principaux.

LE BALLET CLASSIQUE

Le ballet devint très important dans la France du XVIIe siècle, grâce à l'intérêt que lui portait le Roi-Soleil. C'est pour cela que les noms des pas de danse et des positions sont français. En effet, c'est à l'Académie royale de danse de Paris que furent définies les cinq positions de base des pieds.

Les 5 positions de base

Quatrième position

Cinquième position

Première position

Deuxième position

Troisième position

LA DANSE DE CARACTÈRE

Elle mêle le ballet classique aux plus anciennes traditions folkloriques ou nationales, se transformant en une danse liée à la terre où elle a pris racine. Parmi les danses entrées dans le répertoire figurent la polka, la mazurka, le flamenco et la danse traditionnelle russe.

LA DANSE CONTEMPORAINE

La danse contemporaine dérive du ballet classique, pour le réinventer avec de nouvelles solutions expressives et expérimentations. Le corps est libre et peut accomplir n'importe quel mouvement. C'est une danse qui raconte le monde d'aujourd'hui, les passions et les sentiments.

Les pas

C'est en se tenant à une barre que les danseurs échauffent leurs muscles et pratiquent les exercices fondamentaux de la danse classique. Ils les répètent chaque jour, même quand ils deviennent des étoiles. Voici quelques-uns des pas les plus connus !

PLIÉ

BATTEMENT TENDU

ROND DE JAMBE À TERRE

GRAND BATTEMENT

DÉVELOPPÉ

RELEVÉ

ARABESQUE

Les exercices « au centre » sont plus passionnants et plus intenses que ceux pratiqués à la barre. Ils combinent les positions précédentes et se déroulent au milieu de la salle. Il y a les poses, telles que les «attitudes» ou les «arabesques», le «port de bras», qui concerne les mouvements des bras, les «pirouettes», les pas et les sauts.

Ballets

Un ballet est un spectacle de danse : c'est une histoire qui est racontée par la danse, avec un accompagnement musical et des costumes particuliers. Les ballets célèbres sont nombreux dans l'histoire de la danse, mais voici les préférés de Carlotta !

Le Lac des cygnes de Tchaïkovski.

C'est la tragique histoire de la princesse Odette, qui, chaque matin, se transforme en cygne à cause du sort que lui a jeté le sorcier Rothbart. Elle ne redevient jeune fille que la nu Le prince Siegfried tombe amoureux d'elle et tente de la libérer, mais en vain.

Casse-Noisette de Tchaïkovski.

C'est un conte pour enfants qui devient ballet. Pour Noël, Clara a reçu en cadeau un casse-noisette et se retrouve mêlée à la féerique bataille que se livrent des petits soldats et d'énormes souris, dans un pays enchanté.

Roméo et Juliette de Prokofiev.

Ce ballet raconte l'histoire des deux célèbres amoureux de Vérone, séparés par la haine que se vouent leurs familles respectives.

et étoiles

La danse a ses grands personnages : des danseurs de génie, qui sont devenus de véritables mythes. Voici les préférés de Violet !

MARTHA GRAHAM Célèbre danseuse américaine qui a créé un nouveau style, une danse dramatique, pleine de tensions.

RUDOLF NOUREEV Grand danseur et chorégraphe d'origine russe, il obtint un grand succès. Ses interprétations du *Lac des cygnes* et de *Giselle* sont célèbres.

CARLA FRACCI Cette Italienne devint première danseuse à la Scala en 1958. Grâce à son expressivité et à sa sensibilité, elle fut également une grande actrice de cinéma.

PINA BAUSCH Danseuse allemande qui a créé la compagnie du Tanztheater (théâtre-danse), pour raconter drames et passions par le biais de l'improvisation.

Sur la pointe des pieds

Une danseuse classique doit savoir danser sur la pointe des pieds, mais il ne faut pas essayer de le faire avant que la musculature des pieds et des jambes se soit suffisamment renforcée.

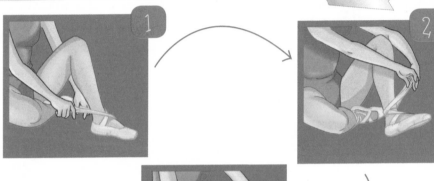

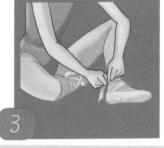

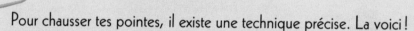

Pour chausser tes pointes, il existe une technique précise. La voici !

1 Enfile le chausson pour qu'il adhère bien au pied. Puis pose le pied par terre, prends les deux rubans fixés sur les côtés, croise-les devant le pied et tends-les à l'arrière de la cheville.

2 Ramène les rubans en avant en les tendant bien et en faisant un tour complet de la cheville. Répète l'opération jusqu'à ce que tu atteignes presque l'extrémité du ruban.

3 Noue les rubans à l'intérieur de la cheville. Bouge le pied et vérifie que le chausson est bien attaché mais que les rubans ne sont pas trop serrés !

Téa Sisters

JOURNAL à dix pattes !

La grâce de la danseuse

Les salles de danse des écoles disposent toujours d'un grand miroir pour vérifier la bonne exécution des mouvements. En effet, pour obtenir une position impeccable, toutes les parties du corps doivent collaborer de manière harmonieuse, et les moindres détails doivent être étudiés avec un soin extrême !

Une vraie danseuse se reconnaît à son **maintien** : le dos est droit, le regard tourné vers l'avant, le menton levé et les épaules sont détendues. On doit avoir l'impression que la danseuse veut se grandir, comme si sa tête était tirée vers le ciel par un fil invisible ! Les jambes et les pieds sont en position *en dehors*, c'est-à-dire tournées vers l'extérieur.

1. DOS DROIT
2. REGARD EN AVANT
3. MENTON LEVÉ
4. ÉPAULES DÉTENDUES
5. PIEDS TOURNÉS VERS L'EXTÉRIEUR

À CHACUNE SON OMBRE

CINQ GRACIEUSES DANSEUSES EXÉCUTENT
LE MÊME PAS, MAIS... ATTENTION !
LEURS OMBRES ONT ÉTÉ MÉLANGÉES !
SAURAS-TU RENDRE À CHACUNE L'OMBRE
QUI EST LA SIENNE ?

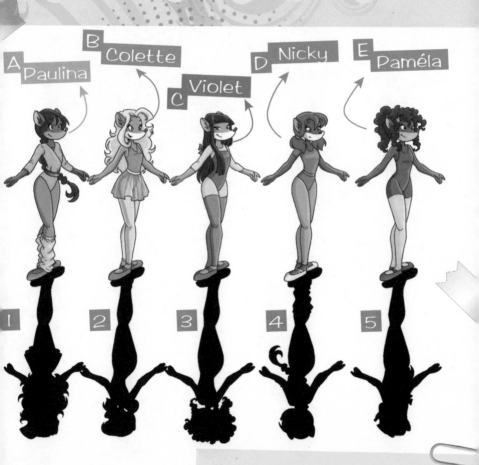

Les solutions se trouvent page 214.

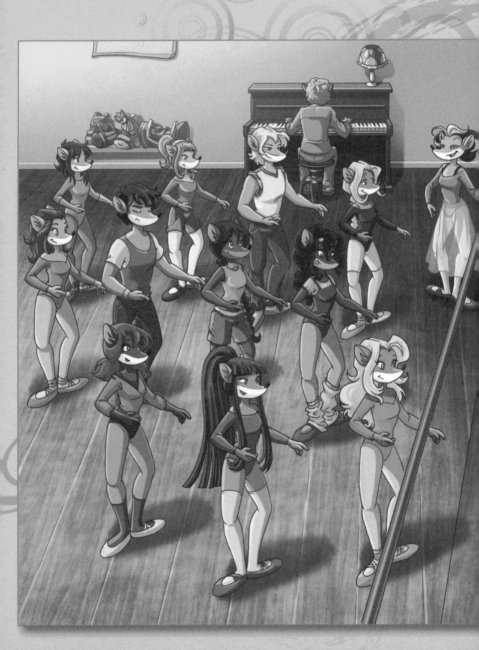

Les Téa Sisters répètent avec le corps de ballet de l'école de Natalya. Mais l'image dans le miroir n'est pas parfaitement fidèle… Si tu l'examines bien, tu découvriras au moins 6 petites différences. Sauras-tu les trouver ?

Les solutions se trouvent page 212.

Tous les danseurs savent que leurs muscles sont fragiles et qu'il ne faut pas les soumettre à des efforts trop brusques. Avant de commencer une répétition, un échauffement s'impose : le *stretching*.

To stretch, en anglais, signifie « étirer, allonger ».

Ça te plairait de faire quelques exercices avec nous ?! Courage, c'est amusant !

ROLLING LIKE A BALL
On fait un mouvement de bascule sur le dos comme si l'on était enfermé dans une boule.

OPEN LEG ROCKER
Exercice de force et d'élasticité, dans lequel on se balance en écartant et en tendant les jambes.

TEASER
En partant de la position allongée, on redresse peu à peu le buste et les jambes, sans perdre l'équilibre, comme Violet.

LE PAPILLON
En gardant le dos bien droit, on réunit ses pieds en faisant se toucher leur plante. Puis on secoue les jambes de bas en haut, comme les ailes d'un papillon.

LE CHAT
À quatre pattes, on fait le gros dos en baissant la tête. Puis on creuse le dos dans l'autre sens, en levant la tête.

Ces exercices sont excellents pour la circulation et échauffent les muscles en les assouplissant. Mais attention : écoute toujours les signaux de ton corps et n'abuse pas des étirements, sinon tu risques de te faire mal !

Une voix mystérieuse

Comme nous l'avons découvert au cours de cette aventure, Milan réserve d'innombrables surprises. La **Loge des Marchands** nous a vraiment étonnées, avec ses mystérieuses voix qui voyagent à travers les vieilles voûtes de pierre !

La **place des Marchands** se trouve dans le centre historique, à quelques centaines de mètres du Duomo, la cathédrale. Le **Palais de la Raison**, dont la construction s'acheva en 1233, ferme un des côtés de la place. C'est sous son vaste portique que notaires et banquiers installaient de petites tables où ils traitaient leurs affaires et recevaient leurs clients. C'est pourquoi l'endroit a pris le nom de Loge des Marchands.

Si l'on parle en se plaçant près de certaines colonnes, en particulier celles dans lesquelles, jadis, on a fait un trou, il est possible de faire rebondir sa voix sous les voûtes jusqu'à la colonne opposée. Dans le temps, cela permettait de traiter certaines affaires sans être entendu par des oreilles indiscrètes !

Phrases en désordre

Dans la Loge des Marchands, nous avons parlé «à la colonne». Chacune de nous a prononcé une phrase pour Carlotta, qui se trouvait à l'autre bout de la Loge, mais qui l'a entendue comme si elle était à côté de nous. Elle n'a toutefois pas réussi à relier chaque phrase à la bonne personne. Peux-tu l'aider? Devine laquelle d'entre nous a bien pu prononcer les phrases ci-dessous et associe chaque phrase à la lettre qui nous identifie. Les solutions se trouvent page 214!

1 Fantastique, on a l'impression d'être en plein air!

2 Quelle acoustique parfaite!

3 Ce serait l'endroit idéal pour un défilé de mode!

4 Ils ne vendent pas de pizza, ici?

5 Je vais faire une photo pour mon blog!

Famedio

Théâtre de la Scala

Nous sommes allées flâner dans Milan et chacune de nous a visité un monument différent. Nos itinéraires se sont emmêlés. Sauras-tu dire où est allée chaque Téa Sister ?

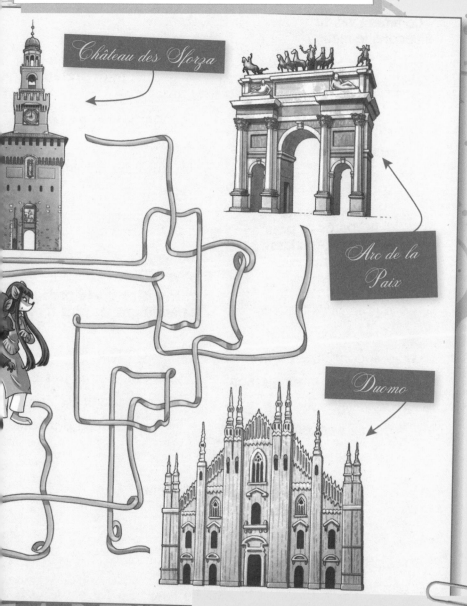

Château des Sforza

Arc de la Paix

Duomo

Les solutions se trouvent page 214.

QUELLE DANSEUSE ES-TU

DÉPART

**Comment vas-tu
à l'école, le matin ?**

A. En sautillant légèrement.
B. En courant rapidement.
C. On m'accompagne
en voiture.

**Quel est ton
loisir préféré ?**

A. Me promener dans la
nature.
B. Regarder un film avec des
amis.
C. Lire un livre.

**Comment te
prépares-tu pour
un devoir en classe ?**

A. Je lis tous les livres
que je peux trouver
sur le sujet.
B. J'ai confiance en ma
capacité d'improvisation.
C. Je travaille sur l'art
de me concentrer.

**Qu'est-ce qui te procure
les émotions les plus fortes ?**

A. Un coucher de soleil.
B. Une soirée passée
à discuter.
C. Le cadeau d'un ami.

**Dans lequel de ces éléments
te reconnais-tu le mieux ?**

A. L'eau.
B. Le feu.
C. La terre.

Majorité de réponses A

Tu possèdes la grâce, la fluidité et la légèreté d'une **danseuse classique**. Tu sais t'émouvoir, mais également travailler dur : ce sont les qualités nécessaires pour devenir une véritable danseuse *étoile*!

Majorité de réponses B

Tu es forte, battante, dynamique. Tu as de la persévérance et l'envie de t'investir dans une activité. Tu trouveras ta voie dans la **danse contemporaine**, où le corps est plus libre, audacieux et prêt à improviser à tout moment.

Majorité de réponses C

Tu es tranquille et réfléchie, réservée comme un chat. Ta fantaisie pourrait t'aider à entrer dans le groupe des **MOMIX**, un groupe de danseurs qui jouent avec leur corps et savent le transformer, avec des résultats vraiment surprenants !

Le régime de la danseuse

Une danseuse doit avoir un corps élancé et agile, mais elle doit également se nourrir correctement, pour ne pas trop maigrir et ne pas s'affaiblir. Si l'on mange trop peu, on perd le tonus musculaire et l'on se prive de la joie et de la lucidité nécessaires pour danser à un haut niveau. Voyons ensemble les règles à suivre pour donner à ton corps toute l'énergie dont il a besoin.

- Ne saute jamais de repas ! Ton corps manquerait de « carburant » pour danser et se rattraperait en absorbant plus qu'il ne lui faut au repas suivant.

- Suis un régime varié et complet. N'élimine pas de groupe alimentaire, comme les graisses ou les glucides : ils fournissent l'énergie nécessaire pour t'entraîner.

- Bois beaucoup d'eau et choisis des aliments naturels, en évitant les plats cuisinés. Mange lentement et mâche bien, cela facilite la digestion.

- Méfie-toi des aliments diététiques, qui apportent tout de même des calories, et n'abuse pas de ceux qui sont dits « sans sucre », car ils contiennent des substances qui ne sont pas toujours très saines.

- N'oublie pas un en-cas avec des fruits ou du chocolat noir, en dehors des repas.

Parmi les aliments qui sont dessinés ci-dessous, sais-tu identifier ceux qui sont adaptés au régime d'une danseuse ?

SNACK EMBALLÉ

SALADE

BOISSON GAZEUSE

RIZ

VIANDE

FRUITS FRAIS

EAU

BARRE ÉNERGÉTIQUE

Le menu idéal

Petit déjeuner : une tasse de lait ou de thé. Yaourt, fruits, céréales.

Déjeuner : du riz ou des pâtes et un plat de légumes.

Dîner : un plat au choix (viande, poisson ou jambon cru), du fromage maigre et une bonne salade composée.

Pour les en-cas, tu peux te faire plaisir avec des fruits, un yaourt ou des légumes crus !

Les solutions se trouvent page 215.

RECETTES AMUSANTES !

Manger sainement, cela ne signifie pas manger de mauvaises choses. Si l'on connaît les bonnes recettes et les meilleurs aliments, on peut même se faire plaisir. Veux-tu quelques conseils ?

La glace

La glace est un aliment sain, nourrissant et complet.
Voici une recette pour en faire à la maison :

INGRÉDIENTS POUR LA GLACE AU CITRON :
- 200 G DE CRÈME FRAÎCHE
- 150 G DE SUCRE
- 125 ML DE LAIT
- 3 CITRONS
- DU SIROP DE CITRON
- 1 POMME

Mélange le jus de citron et le sucre avec un batteur électrique ou à la main. Puis ajoute un peu de sirop de citron, la pomme râpée, le lait et la crème fouettée.

Mélange énergiquement pendant quelques minutes, en faisant attention à ne pas faire retomber la crème, puis verse le mélange dans une sorbetière. Au bout de 20 minutes, la glace est prête : tu peux la décorer avec des rondelles de citron, des petits gâteaux ou de la crème Chantilly… Miam !!

RISOTTO À LA MILANAISE

PARMESAN RÂPÉ

RIZ

BOUILLON

SAFRAN

BEURRE

OIGNON

(POUR 4 PERSONNES)

INGRÉDIENTS : 400 g de riz rond, 1 oignon, 1 l de bouillon, du parmesan râpé, 2 noix de beurre, 1 pincée de safran.

PRÉPARATION : Fais-toi aider par un adulte pour émincer l'oignon et le faire rissoler dans une poêle avec une cuillerée d'huile d'olive et une noix de beurre. Puis verse le riz et mélange bien. Ajoute une louche de bouillon et recommence chaque fois que tu vois qu'il a été absorbé par le riz. Mélange souvent et laisse cuire pendant 20 minutes.

Un peu avant la fin de la cuisson, fais infuser le safran dans une tasse de bouillon et verse-le sur le risotto, sans cesser de mélanger. Laisse cuire pendant 2 minutes encore. En dehors du feu, ajoute le reste de beurre et le parmesan, puis mélange encore. Laisse reposer le riz pendant 1 minute et… BON APPÉTIT !

Habillée pour danser !

L'habit d'une danseuse classique est important : il faut qu'il ait un certain style, mais il doit être également pratique, pour ne pas entraver les mouvements.

Les cheveux doivent être attachés et rassemblés, pour ne pas gêner la danseuse et pour bien laisser voir les mouvements du cou.

Les écoles de danse exigent souvent que le justaucorps et les collants soient d'une certaine couleur, pour être bien reconnaissables.

Pour un spectacle, on porte le tutu classique, avec une jupe courte et raide, ou le tutu romantique, avec une jupe longue composée de plusieurs plateaux de tulle.

Avec le justaucorps, on peut porter une jupe ou des collants extensibles.

Aux pieds, on porte les demi-pointes, avec ruban ou élastique et, par la suite, les pointes.

Coiffée pour danser

Une danseuse doit être raffinée jusque dans sa coiffure : elle ramasse habituellement ses cheveux en un simple chignon au milieu de la nuque.

1. Peigne tes cheveux en arrière.

2. Fais une queue plus ou moins au milieu de la tête.

3. Enroule tes cheveux sur toute leur longueur et rentre-les au milieu du rond, pour former le chignon.

4. Fixe-les avec des épingles à cheveux.

Pour donner une touche de classe à ton chignon, attache-le avec un ruban de la même couleur que ton justaucorps ou que ton tutu !

1

2

3

4

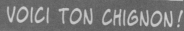

VOICI TON CHIGNON !

Les élèves de l'école de Natalya essaient leur costume pour le dernier ballet, mais quelqu'un a voulu leur faire une farce !
Peux-tu découvrir les 7 détails bizarres qui n'ont rien à voir avec les costumes des danseurs ?

Les solutions se trouvent page 215.

Solutions pour...
Cours devant le miroir

Voici les détails qui apparaissaient différents
sur l'image reflétée... Les avais-tu tous découverts ?

Solutions!

SOLUTIONS POUR
Phrases en désordre
(PAGE 199)

La bonne association des phrases est la suivante :

1-D ; 2-E ; 3-C ; 4-B ; 5-A

SOLUTIONS POUR
PROMENADE DANS MILAN
(PAGES 200-201)

Voici où sont allées les Téa Sisters

DUOMO

PAM

NICKY

CHATEAU DES SFORZA

COLETTE

LA SCALA

PAULINA

VIOLET

ARC DE LA PAIX

FAMEDIO

SOLUTIONS POUR
À chacune son ombre
(PAGE 193)

La bonne association des ombres est la suivante :

A-4 ; B-1 ; C-5 ; D-2 ; E-3

SOLUTIONS POUR
Le régime de la danseuse
(PAGE 205)

BOISSON GAZEUSE

SNACK EMBALLÉ

SALADE

FRUITS FRAIS

RIZ

VIANDE

EAU

BARRE ÉNERGÉTIQUE

LES ALIMENTS ADAPTÉS AU RÉGIME D'UNE DANSEUSE SONT : LA SALADE, L'EAU, LE RIZ, LA VIANDE ET LES FRUITS FRAIS.

SOLUTIONS POUR EXERCICES BIZARRES
(PAGES 210-211)

TABLE DES MATIÈRES

Geronimo Stilton

DANS LA MÊME COLLECTION

ÎLE
DES BALEINES

L'île des Baleines

Au revoir,
à la prochaine aventure !